중국의
파워엘리트

중국의
파워엘리트

최형규 지음 · 차이나랩 기획

그들은 어떻게 단련되고
무엇을 생각하는가

한길사

Power-Elite of China
by Choi Hyungkyu

Published by Hangilsa Publishing Co., Ltd., Korea, 2018

2017년 10월 열린 중국공산당 제19차 전국대표대회.
이 대회에서 '시진핑 신시대 중국특색사회주의사상'이
당장에 삽입되었다.
마오쩌둥 사상과 함께 공산당의 핵심 지도이념으로 자리 잡으면서
시진핑의 '황제권력'이 완성됐다.

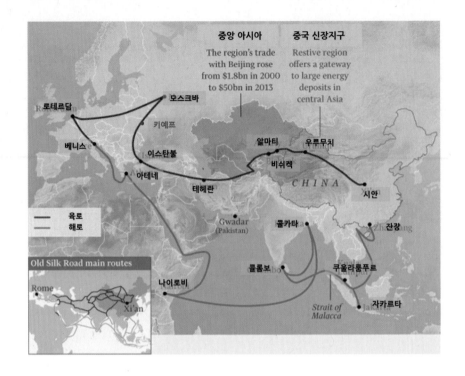

시진핑이 2013년 제창한 일대일로 전략 구상도
고대 육해상 실크로드를 현대적으로 복원해 중국의 대외 영향력을
강화하겠다는 전략이다.
하지만 일대일로는 실크로드가 아니라 몽고 제국의
중앙아시아, 아랍 그리고 유럽 원정로를 따라가고 있다.
중국이 유럽을 넘어 아프리카까지 구축하고자 하는
철도, 도로, 인터넷망, 항공망, 해상 항로는 몽고 제국 당시 설치된 수만 개의
역참과 유사하다.
거세지는 중국의 일대일로 공세가
중화제국 건설을 위한 포석이라는 얘기다.

2017년 4월 진수한 중국의 첫 국산항모.
중국의 첫 국산항모인 001A형 항공모함은 2017년 4월 진수식을 마쳤으며
2018년 5월 시험운항까지 성공적으로 마쳤다.
001A형 항공모함은 5만 5,000톤급으로 전장 315미터, 폭 75미터다.
재래식 증기 터빈엔진을 장착했으며
30~40대의 젠-15를 탑재할 수 있다.
중국 언론은 이 항공모함의 취역이 예상했던 2020년보다 이른
2018년 말이나 늦어도 2019년에는 이뤄질 것으로 전망했다.
한편 미국 언론은 중국이 2025년까지
모두 7척의 항모를 보유할 것이라고 보도하고 있다.

중국의 '고속철 굴기'
중국은 102개국과 고속철 수출 계약을 맺었다.
특히 고속철은 일대일로의 핵심적인 역할을 맡고 있다.
이 고속철의 이름은 '푸싱'(復興, 부흥)으로
시진핑이 내건 '중화 민족의 위대한 부흥'이라는 슬로건에서 따왔다.
평균 시속 350킬로미터로 세계에서 가장 빠르다.
중국은 고속철 굴기를 통해
세계 최대 고속철 국가로 부상했다.
고속철 총연장은 2015년 1만 9,000킬로미터에서
2020년 3만 킬로미터로 늘어나면서 중국 전역이 1일 생활권으로 접어들게 된다.

수만 명의 인민과
척을 지느니 수백 명의
부패 공무원과 척을 지겠다.
■시진핑

시진핑과 중국의 파워엘리트

• 머리말

한 국가를 알려면 그 시대의 리더를 보라는 말이 있다. 리더는 시대가 선택하고 그 요구에 따라 국가를 경영하기 때문이다. 시대가 영웅을 만든다는 말은 그래서 나왔다. 같은 논리로 현대의 중국을 알고 싶다면 시진핑과 주변 인물의 실체를 알아야 한다는 게 내 생각이다.

정치든 외교든 결국 그 시대 리더들의 가치체계가 발현된 것이다. 2018년 3월 11일 중국 전국인민대표대회가 국가주석 임기제 폐지를 골자로 하는 헌법 개정안을 거의 만장일치로 통과시키면서 시진핑의 종신집권 가능성이 커진 게 작금의 중국이다. 황제에 버금가는 권력을 장악한 시진핑 그리고 그를 보좌하고 호위하는 주변 엘리트의 사상과 사유체계를 이해하지 않고는 중국의 내면을 알기 어렵다.

이 책에서 나는 현대 중국의 파워엘리트와 그들의 인생 그리고 인생역정歷程을 통해 중국의 본질에 좀더 실체적으로 접근하고자 했다. 중국의 제도, 정책, 전략이 이들 파워엘리트 사유의 총체적 산물이라고 판단하기 때문이다. 대표적인 게 시진핑이 부르짖는 중국의 꿈中國夢, 즉 중화부흥이다. 이 시대 중국이 원하는 걸 리더인 시진핑이 엘리트 집단과 중국인들의 지지를 동력 삼아 행동에 옮기고 있다.

이 책은 차이나랩 블로그에 연재된 '대륙의 파워엘리트'를 보충해서 엮었다. 차이나랩은 2016년 9월 『중앙일보』와 네이버가 공동으로 설립한 중국 콘텐츠 생산 회사다. 1년 넘게 중국의 각 부문 핵심 엘리트 60여 명을 연재했다. 엘리트는 공산당 핵심 간부를 중심으로 선정했다. 그중 2017년 10월에 열린 제19차 당대회를 통해 선출된 중국 영도 그룹, 즉 당 중앙 정치국원에 오른 25명을 우선 선정했다. 중국은 공산당이 헌법 위에 군림하는 공산당의 나라고 그 권력 최정상에 정치국이 있기 때문이다. 여기에 영부인 펑리위안 여사와 퇴직하고도 다시 국가부주석으로 화려하게 복귀한 원로 권력 왕치산, 군 최고 강경파이자 야전 총수인 리쭤청 당 중앙군사위 연합참모부 참모장, 시진핑의 문담文膽인 허이팅 중앙당교 상무 부교장, 저우창 최고인민법원 원장 등 5명을 더했다. 물론 14억 중국을 경영하는 엘리트가 어찌 이들 30명뿐이겠나. 부문별, 지역별 엘리트는 차고 넘치지만 제한적인 지면 때문에 모두 소개하지 못해 아쉬울 뿐이다.

파워엘리트 30명의 경력은 중국공산당이 공개한 자료에 근거했다. 중국 사회는 국가 지도자들의 개인 신상 공개에 폐쇄적이다. 따라서 중국 언론에 보도된 내용과 홍콩과 타이완 등지에서 나온 중국 지도부 관련 자료와 중국 전문가들에 대한 취재물을 종합해 집필했음을 밝힌다. 끝으로 파워엘리트 연재를 지원하고 성원을 아끼지 않은 한우덕 차이나랩 대표, 오늘도 세계 최고의 중국 관련 콘텐츠를 생산하기 위해 혼신의 힘을 다하고 있는 차이나랩 구성원 모두에게 감사의 마음을 전한다.

2018년 7월
베이징에서
최형규

중국의 파워엘리트

중국의 엘리트는 어떻게 단련되나

• 프롤로그

파워엘리트 그룹에 미래를 맡긴 중국인

서방의 눈으로 보면 중국은 여전히 민주주의와 자유 그리고 인권과는 거리가 멀다. 공산당 독재국가고 언론과 종교의 자유가 제한적이며 관시關係가 합리에 앞서는 사회다. 헌법에 규정된 중화인민공화국 주석국가주석 임기제가 폐지되면서 종신 권력이 가능한 봉건적 정치문화도 부활했다. 그런데도 중국은 중화부흥中華復興을 외치며 욱일승천하고 있고 사회는 생각보다 안정돼 있다. 공산당에 대한 중국인의 지지도 역시 과반수를 훌쩍 넘는다. 개혁개방 이후 서구 민주주의를 부러워하면서도 공산당 일당독재를 보편적으로 수용하는 내재적 모순도 보인다. 왜 그럴까. 중국인들의 정치에 대한 무관심, 돈에 민감한 그들의 동물적 본능, 경찰국가를 방불케 하는 살벌한 공산당의 통제 등 이유는 적지 않다.

그러나 핵심은 공산당의 리더십, 즉 파워엘리트 그룹에서 찾아야 한다는 게 중국 전문가들의 공통된 인식이다. 중국인들은 파워엘리트 그룹에게 국가의 미래를 맡긴 채 현재의 불합리에 눈감고 있다는 얘기다. 중국의 엘리트는 이론적 교육으로만 배양되지 않는다. 끊임없이 학습하고 스스로를 단련한 인재들이다. 그들은 객관적인 검증을 수십 차례 거쳐 당의 영도 그룹 일원으로 성장한다. 따라서 그들이 권력투쟁과 부패로 낙마하는 경우는 있어도 업무능력이나 리더십 문제로 공직을 떠나는 경우는 흔하지 않다.

중국식 '철인정치'

엘리트 이론의 창시자인 이탈리아 정치학자 가이타노 모스카 Gaetano Mosca, 1858~1941는 "어느 사회든 지배하는 엘리트와 지배당하는 다수가 존재한다소수지배의 법칙. 지배계급이 권력을 법의 지배로 바꾸어 정치 기구를 정비하고 여러 사회세력의 균형 위에 서서 지배할 때 사회는 안정된다"라고 말했다. 이는 중국의 파워엘리트가 안정적 국가 경영, 권력 유지, 사회 유지를 위해 철칙처럼 받드는 잠언이다. 시진핑習近平, 1953~ 국가주석이 강조하는 법치, 전면적인 개혁, 정치협상회의를 통한 공산당과 비공산당세력 간 협력 시스템 마련, 각종 빈부격차를 줄이기 위한 분배 정책 시행 등이 모두 모스카의 엘리트 이론에서 시작됐다고 해도 과언이 아니다. 중국은 여기에 강력한 엘리트 양성 시스템을 더해 중국식 '철인정치'哲人政治를 완성해가고 있다.

공산당의 엘리트 선발 경로

공산당 엘리트는 크게 네 가지 경로로 선발된다. 위임제, 선임제,

고시 임용제, 초빙 임용제다. 모두 수양제隋煬帝, 재위 604~618 때 시작
돼 청나라 광서제光緒帝, 재위 1875~1908 때까지 2,300년 넘게 유지됐
던 다양한 과거제에서 그 뿌리를 찾을 수 있다.

위임제는 행정기관이 주어진 법적 권한 내에서 필요한 시기에 필
요한 인재를 찾아내 특정 업무를 위임하는 제도다. 수요에 따라 간
부를 신속하고 효율적으로 선발할 수 있어 중국은 물론 세계 각국
이 채택하고 있다. 중국공산당도 1921년 창당 후 지금까지 당정 간
부 임용에 주로 활용하고 있다. 위임제는 '담당 부서의 제안→추천
→검증→임명기관의 토론과 결정→임명' 절차를 거친다. 시진핑
역시 1979년 칭화淸華 대학을 졸업하고 이 방식을 통해 중국공산당
중앙군사위당 중앙군사위 판공청 비서로 임용됐다. 물론 부친 시중쉰
習仲勛, 1913~2002 전 중화인민공화국 국무원 부총리부총리의 배경이
있어 가능했던 일이다.

선임제는 선거를 통해 임용 대상을 결정하는 제도다. 현재는 당정
영도간부를 선발하는 데 활용하고 있다. 헌법과 각 조직법에 따라
선임제의 실행 범위가 정해져 있다. 중화인민공화국 국무원 총리총
리·부총리·성省장·부성장·시장·부시장·현縣장·부현장·향장·부
향장이 대표적이다. 여기에 중앙과 지방의 법원장과 검찰장 등이 전
국인민대표대회전인대 대표를 선발할 때 선거로 결정된다. 물론 모
두 직접선거를 하는 건 아니다. 현 단위 이하는 직접선거로 뽑지만
그 이상은 모두 간접선거다. 당도 마찬가지다. 공산당 '당장'黨章, 당
헌은 중국공산당 중앙위원회당 중앙위원회, 정치국 위원정치국원, 중앙
정치국 상무위원정치국 상무위원, 중앙서기처, 당 중앙군사위 영도자
들을 간접선거로 뽑도록 명시하고 있다. 형식적으로 선거라는 민주

주의 방식을 도입하고 있는 것이다. 그러나 선거 전 계파 간 타협이나 최고 지도부에서 특정인을 지정해 내정하면 간접선거라는 요식행위를 통해 인사가 확정된다.

고시 임용제는 시험을 통한 공직자 채용이다. 한국에서도 가장 일반화된 인재 선발 방식이다. 중국의 고시제는 크게 두 가지다. 하나는 말단 공무원 시험이고 다른 하나는 특정 직위의 공무원 선발 시험이다. 통상 중앙과 지방으로 나뉘어 시행된다. 중앙 공무원의 경우 정부와 중앙 당의 각 부처가 당해에 필요한 공직자 수를 공지하고 필기시험과 면접을 거쳐 선발한다. 중국의 젊은이들은 한국과 마찬가지로 안정적인 공무원을 선호해 매년 실시되는 시험 경쟁률은 직책과 직위에 따라 수백 대 일에서 수천 대 일을 오르내린다.

초빙 임용제는 초빙 계약제로도 불린다. 업무상 필요에 따라 정부기관과 기업 및 사업기관, 국가단체가 계약직 형태로 인재를 선발한다. 특히 전문 기술을 요하는 사업 단위나 국가기관에서 이 제도를 통해 인재를 찾는다. 첨단 과학, 의료, 컴퓨터 분야가 대표적이다.

예비간부 제도

중국공산당은 미래에 지도자가 될 수 있는 자질을 보이는 인재를 특별히 관리한다. 이른바 '예비간부 제도'다. 업무능력이 탁월하고 리더십이 있는 인재를 키워 미래에 국가 지도자로 양성하기 위해서다. 이 제도는 1953년 6·25전쟁이 끝나자마자 시작됐다. 가난과 기아에 허덕이던 시절에도 국가의 미래를 보며 백년대계를 세웠다는 얘기다. 당시 중국공산당 중앙조직부당 중앙조직부가 예비간부 제도를 만들어야 한다는 의견을 냈다. 이후 간부 현황을 기초적으로 파악했고 1978년 덩샤오핑鄧小平, 1904~97의 지시로 우수한 영도자 양성방침이 확정됐다. 초창기에는 덩샤오핑 이후 3세대 국가 영도자 양성에 주력했다. 장쩌민江澤民, 1926~ 과 후진타오胡錦濤, 1942~ 전 국가주석이 미래 지도자로 낙점돼 리더십 단련을 철저하게 받은 좋은 예다. 1983년에는 예비간부 제도가 국가에서 성과 중앙부처급으로 확대됐고 2009년에는 지방의 현급까지 예비간부 명단을 확정해 미래 리더 양성에 돌입한다. 당시 선발된 예비간부 숫자를 보면 성과 중앙부처급이 200여 명, 시市급에 1,500여 명, 현급이 1만여 명이다. 현재 중국의 각 부처와 지방 조직에서 요직을 차지하고 있는 대부분 간부가 이때 선발된 인재들이다.

시진핑은 취임 이후 능력 있는 간부의 중요성을 더 강조했다. 2014년에는 '우수 청년간부 양성 및 선발업무를 강화하고 개선하는 것에 대한 의견'이 나왔다. 앞서 2009년 당 중앙위원회가 확정한 '2009~2020년 당정 영도집단 예비간부 대오 건설계획'을 확대, 강화한 조치다. 이에 따라 국유기업, 고등교육기관, 기술연구소, 과학단체 등은 물론이고 해외에 있는 젊은 유학생까지 선발 대상에 넣어 전방위에 걸친 인재 사냥이 시작됐다.

예비간부 선발과 교육

예비간부 선발 조건은 까다롭다. 학력이 최소한 전문대 이상이어야 한다. 성과 중앙부처 예비간부는 대학 본과 이상이어야 한다. 여성 간부 육성도 중요하게 생각한다. 성급은 전체 간부의 10퍼센트, 시급은 15퍼센트, 현급은 20퍼센트 이상이 여성 간부여야 한다. 탁월한 업무실적과 리더십은 기본이고 특정 분야에 전문지식이 있으면 금상첨화다. 일단 예비간부에 선발되면 해당 부처의 관리를 받는다. 정기적으로 정치적 견해와 정치적 관점, 사상과 품행, 업무 태도와 청렴도 그리고 자기 규율을 평가받는다. 여기에 정치 이론과 사회주의 시장경제 이론, 현대 과학, 법률, 역사의 학습 현황과 건강도 점검 대상이다. 만약 조사에서 문제점이 있으면 곧바로 명단에서 제외된다.

예비간부에 대한 교육은 혹독하다. 현, 처處급 이상의 단위에서 45세 이하인 간부는 5년을 주기로 각급 '공산당 중앙학교 청년 간부 양성반'에서 3개월 이상 연수받아야 한다. 교육 과목에는 반드시 당시의 국제 정세가 포함된다. 국제적 감각을 기르고 장차 국가를 넘어 세계를 경영하는 비전을 키워주기 위해서다.

이어 이상과 신념, 청렴성 그리고 효율적 행정을 위한 다양한 전문지식 교육 과정을 이수해야 한다. 시급 단위로 매년 일정 인원을 해외로 연수 보내기도 한다. 성, 부급 예비간부 가운데 미래 국가 지도부에 들어갈 우수한 인재는 당정의 주요 부서, 대형 국유기업, 중점 대학이나 과학연구소로 보내 일정 기간 근무하게 하는데 대부분 해당 기관의 난제 해결을 맡긴다. 리더십을 단련하고 스스로 행정능력을 키우기 위한 시험 과정이다. 다른 간부들도 보직순환 규정에 따라 다양한 업무현장을 경험한다. '당정 영도간부 보직순환 업무 규정'에는 '임시 직무훈련 별도 시행규정'이라는 게 있다. 특정 간부를 특정 보직에 임시로 임명해 경험하게 하는 '과즈'掛職 제도다. 현대판 하방下放이라고 해 '과즈하방'으로 부르기도 한다. 예컨대 중앙조직부는 매년 수백 명에서 수천 명까지 중앙 간부를 서부지역 같은 오지로 보내 열악한 현장과 해결하기 어려운 문제를 경험하고 스스로를 단련하도록 한다.

예비간부를 넘어 중앙이나 지방의 지도자 반열에 올라도 교육과 단련은 계속된다. 국가 영도자라는 칭호를 받는 25명의 당 정치국원도 예외가 아니다. 시진핑 취임 이후 정치국원 교육은 오히려 더 강화됐다. 제18차 당대회 이후 5년2012. 11~2017. 10 동안 43차례 집단학습을 했다. 제19차 당대회2017. 10 이후에도 두 달간 두 차례 교육이 있었다. 특별한 사안이 없어도 매월 한 차례 이상은 교육받는다. 제17차 당대회 이후 5년2007~2012 동안에는 33차례 교육이 있었다. 학습은 대부분 대학교수나 특정 부문 전문가를 초청해 강의를 듣는 형식인데 경우에 따라서는 현장에 직접 나가 실습하기도 한다. 국무원 각 부처나 지방정부에서 근무하는 간부도 예외가 아니어서 매년 수십 차례 교육받는다.

교육에 대한 관심

공산당은 창당 이후부터 교육의 중요성을 간파하고 다양한 교육기관을 만들었다. 유능한 간부를 육성하지 않고는 공산혁명은 불가능하다는 전략적 사고에서 시작한 일이다. 또 교육을 통한 엘리트 간부들의 사상과 이념 통일이 가장 중요한 국가정책이었다. 개혁개방이 본격화된 1990년대부터 공산당 교육은 전성기를 맞는다. 1990년대 이후 20여 년 동안 전국에서 문을 연 각급 당교와 행정학원, 사회주의학원이 무려 3,000여 개에 이른다. 공산당은 이외에도 상하이上海 푸둥浦東과 옌안延安, 징강산井岡山 등 세 곳에 고위급 간부 교육학원 등을 설립했다. 당 중앙조직부는 2009년 베이징北京 대학과 칭화 대학, 런민人民 대학, 푸단復旦 대학 등 13개 중점 대학과 사회과학원에 간부 교육 기지를 신설하고 공무원 교육 과정을 개설했다. 이들을 다 합치면 공산당 교육기관은 무려 5,000여 개에 달한다. 최근에는 인터넷 발달로 온라인 교육이 일반화돼 있다. 전국 거의 모든 성과 시 그리고 현급 단위에서 온라인 수시 교육을 실시하고 있다. 당 중앙조직부에 따르면 2017년 현재 전국 온라인 연수 보급률은 청, 국급의 간부는 100퍼센트, 현, 처급의 간부는 90퍼센트, 과科급 이하는 80퍼센트에 달한다.

국가급 정치 엘리트에 대한 핵심 교육은 국가 핵심 교육 기지에서 여전히 오프라인으로 실시한다. 1933년 창립된 중앙당교가 대표 교육기관이다. 당의 중·고위급 영도간부들을 위한 교육기관으로 마르크스-레닌주의와 마오쩌둥 사상, 중국 특색 사회주의 이론 체계, 세계 정세와 중국의 전략, '시진핑 사상' 등을 집중적으로 교육한다. 국무원이 1994년에 만든 국가행정학원은 중·고위급 국가공무원 교육을 주로 담당한다. 대민 서비스 의식과 정부의 다양한 정책 및 행정 관련 강의가 많다. 국가행정학원은 2018년 3월 당정 기구 개편에 따라 중앙당교로 흡수, 통합됐다. 푸둥 간부학원은 중앙 직속 사업 기관 및 국가급 공무원들에게 개혁개방과 현대화 건설을 위한 역량 교육을 담당한다. 이 밖에도 징강산 간부학원은 각급 간부들에게 당사黨史와 창당 이념 등을 강의하고, 옌안 간부학원은 당사 및 당풍黨風 교육에 집중하며, 중앙 사회주의학원에서는 마르크스주의 이론과 통일전선 이론을 가르친다. 최근에는 이들 교육기관 외에 해외 연수 프로그램도 활용한다. 하버드 대학 등 해외 명문대학에서 연수받는 코스가 인기다. 예컨대 당 조직부와 상무부, 유엔개발계획UNDP이 2005년부터 공동으로 시행하고 있는 '소강小康사회 지도자 트레이닝 프로젝트'는 영국의 옥스퍼드 대학, 캐나다의 토론토 대학, 브리티시 컬럼비아 대학, 오스트레일리아 국립대학과 시드니 대학에서 강의하고 있다. 하버드 대학 케네디 스쿨은 중국 고위 공무원들을 상대로 '공공 관리 고급 연수반'을 열기도 했다. 한국과 일본 그리고 싱가포르 공직자 연수도 있다.

공무원들은 공부하기 싫어도 해야 한다. 의무 교육 시간이 규정돼 있기 때문이다. 2015년 당 중앙위원회를 통과한 '간부교육 업무조례'를 보면 성, 부, 청, 국, 현, 처급의 당정 영도간부는 5년마다 당교나 행정학원, 간부학원 및 간부 교육 관리 부처의 인가를 받은 교육 기관에서 3개월, 550시간 이상의 교육을 받아야 한다. 물론 직무별로 차별화된 교육 프로그램이 존재한다.

회피 제도

부패를 차단하기 위한 회피 제도도 엄격하다. 당정 영도간부의 경우 부부, 직계 친인척, 3대 이내 방계 친인척이 회피 범위다. 여기에 해당되는 관계는 같은 기관에서 같은 상관에게 예속되는 직무를 맡을 수 없다. 당사자 간에 상하 관계는 더더욱 금물이다. 직급별 주요 간부의 경우 본인이 성장한 곳에서 현 당위원회와 정부 및 기율 검사기관, 조직 부문, 인민법원, 인민 검찰원, 공안 부문의 업무를 맡는 것도 안 된다. 간부 임면任免에서도 회피 제도는 유효하다. 예컨대 당위원회에서 간부의 임면을 토론할 때 해당 간부의 친인척은 참석하지 못한다.

배양되고 단련된 파워엘리트

제19차 당대회를 통해 중국 최고 지도부로 선임된 정치국 상무위원들은 대부분 이런 과정을 통해 선발됐고 수십 년 동안 교육받고 단련된 인재들이다. 시진핑은 25년을, 리커창李克强, 1955~총리는 13년을, 리잔수栗戰書, 1950~ 위원은 40년을, 왕양汪洋, 1955~ 부총리는 26년을, 자오러지趙樂際, 1957~ 중국공산당 중앙기율검사위원회 당 기율위 서기는 32년을, 한정韓正, 1954~ 위원은 42년을 각각 지방에서 근무하면서 현장행정을 익히고 스스로를 담금질했다. 정치국 상무위원 가운데 지방 행정 경력이 없는 이는 왕후닝 중앙정책연구실 주임이 유일한데 이는 장쩌민과 후진타오, 시진핑에 이르는 3대 국가주석의 핵심 책사였다는 특수한 정치적 위상 때문이다. 자유와 인권, 민주주의와 관련된 문제로 국제 사회의 비판을 받으면서도 중국공산당의 리더십이 흔들리지 않고 국가를 지속적으로 발전시키는 비결은 인재, 즉 배양되고 단련된 파워엘리트에 있다.

1

14억의 최고 영도 9인

중국은 공산당이 국가 위에 존재하는 나라고
공산당의 권력구조는 피라미드 형태다.
제19차 당대회 이후 권력이 시진핑 총서기
한 명에게 집중되고 있지만 집단지도체제와
국가 최고 지도부로서 7인의 위상은 엄존한다.
여기에 상무위원급 리더가 두 명 더 있다.
영부인 펑리위안 여사와 왕치산
국가부주석이다.
시진핑을 핵심으로 일사불란하게 움직이는
구룡치수九龍治水다. 중국을 이해하기 위해 가장
먼저 그들의 면면을 살펴야 하는 이유다.

1 칭기즈 칸을 넘보다
시진핑^{習近平} 중화인민공화국 주석

시진핑 인성에 대한 힌트

시진핑^{習近平, 1953~} 은 중국 권력의 1인자다. 그 권력은 시황제^{習皇帝}라는 말이 나올 정도로 압도적이다. 이유가 있다. 2018년 3월 11일 한국의 국회에 해당하는 전인대는 헌법에 규정된 국가주석 임기제를 폐지했다. 시진핑은 공산당 총서기, 당 중앙군사위 주석, 국가주석 등 이른바 중국 권력의 삼각축을 임기제한 없이 장악했다. 법적으로 종신집권이 가능해진 상황이다. 이로써 덩샤오핑이 마오쩌둥^{毛澤東, 1893~1976} 1인 지배체제의 폐해를 보고 재발을 막기 위해 도입했던 집단지도체제가 종언을 고했다.

사실 그는 2017년 10월 있었던 제19차 당대회를 통해 이미 마오쩌둥 반열에 올랐다. '시진핑 사상'이 '당장'에 삽입되면서 마오쩌둥 사상과 함께 공산당의 핵심 지도이념으로 자리 잡았기 때문이다. 그래서 작금의 중국을 이해하기 위해서는 시진핑을 아는 것이 핵심이라고 할 수 있다.

현대 중국의 최고 권력을 손에 넣은 그는 어떤 사람일까. 시진핑의 인물됨을 가식 없이 토로한 3명이 있다. 첫 번째로 리덩후이李登輝, 1923~ 전 타이완 총통이다. 그는 2014년 5월 타이완 동오東吳 대학 강연에서 "시진핑은 전 세계 리더 지위를 놓고 미국과 경쟁하겠다는 의지가 강하다. 그는 마오쩌둥보다 야심이 큰 인물"이라고 말했다. 그의 권력 장악 과정과 총서기 및 국가주석 취임 이후의 행보를 보고 한 말이다. 두 번째는 시진핑의 전 부인인 커샤오밍柯小明이다. 그는 2015년 9월 영국의 화교 신문인 『영국교보』英國僑報와의 인터뷰에서 "그는 집념이 강하고 큰일을 하고 싶어 했다. 모든 일을 빈틈없이 계획하고 꾸준히 밀어붙였다. 그는 정직했지만 고집이 너무 셌다"라고 말했다. 시진핑과 3년 동안 부부로 지낸 뒤 이혼한 커샤오밍은 영국대사를 지낸 커화柯華, 1915~ 의 막내딸이고 나이는 시진핑보다 2살 많다. 마지막은 현 부인인 펑리위안彭麗媛, 1962~ 여사의 말이다. 그는 "시진핑이 집에서 어떤 남편이냐"라는 질문 공세를 받을 때마다 이렇게 답했다. "솔직히 실감이 잘 안 난다. 그는 집에서 너무 평범해 일반인과 똑같다. 최고 지도자의 아우라를 전혀 느낄 수 없다." 이들의 말을 종합해보면 시진핑의 인물됨은 야망, 고집, 정직, 행동, 평범 등으로 정리할 수 있다. 가장 주목해야 할 단어는 야망, 고집 그리고 행동이다. 그의 이런 개성이 국제 사회의 '중국 위협론'에 반영돼 있다고 볼 수 있다.

또 다른 일화도 그를 아는 데 도움이 된다. 2002년 5월 임종을 앞둔 시중쉰習仲勛, 1913~2002 전 부총리는 아들인 시진핑에게 유언으로 두 가지를 당부한다. 실사구시實事求是와 후도관용厚道寬容이다. 업무

" 나는 기층에 들어가
인민과 함께 살고 싶었다.
그게 미래를 위해 나를
더 단련하고 배양하는
길이라 생각했다. "

2018년 3월 11일 국가주석 임기제를 폐지한 시진핑는 실용적인 자세를 견지하고 대인 관계에선 항상 덕을 앞세우라는 뜻이다. 시중쉰이 생각하는 리더십의 두 가지 핵심 덕목은 업무능력과 인간경영이었다. 칼날 위를 걷는 중국 권력 세계의 선배로서 어떻게 정상의 자리에 이르고, 또 지킬 수 있는지 자신의 축적된 경험을 유훈으로 전했던 것이다. 눈시울을 붉힌 시진핑은 "처한 환경과 관점에 따라 여러 제약이 있을 수 있어 '실사구시'는 100퍼센트 실행한다고 장담할 수 없습니다. 하지만 '후도관용'은 반드시 100퍼센트 실천하겠습니다"라고 답했다고 한다. 시진핑에게 야망과 황소고집 유전자가 있는 건 분명해 보인다.

중국의 꿈

실제로 시진핑의 인생역정은 그 궤도를 크게 벗어나지 않는다. '천하 쟁패'을 위한 야망과 투쟁의 연속이다. 그는 넉넉해 보이는 외모와 달리 거칠고 뚝심이 세며 완력 행사도 서슴지 않는다. 그는 2012년 11월에 열린 제18차 당대회에서 총서기에 오르자마자 중국의 꿈中國夢, 즉 중화부흥을 부르짖었다. 그리고 2017년 10월 제19차 당대회에서는 '시진핑 신시대 중국 특색 사회주의 사상'을 '당장'에 올리며 1인 지배체제까지 완성한다. 두 개의 100년 계획에 따라 세계를 제패하기 위한 강력한 리더십을 구축한 것이다. 두 개의 100년 계획은 중국공산당 창당 100주년이 되는 2021년까지 샤오캉小康, 온 국민의 의식주가 해결되는 중진국 사회 사회를, 신중국 수립 100주년이 되는 2049년까지 미국을 넘어서는 현대 국가를 만들겠다는 중국의 장기 국가 전략이다. 국제정치분석가들은 시진핑이 거대 제국을 건설했던 칭기즈 칸을 닮았다고 평가한다. 실제로 그가 2013년

1958년 시진핑(가운데)이 아버지 시중쉰(오른쪽),
형 시위안핑(왼쪽)과 함께 찍은 사진.
시중쉰은 시진핑에게 실사구시와 후도관용을 유언으로 당부한다.
시중쉰이 생각하는 리더십의
두 가지 핵심 덕목은 업무능력과 인간경영이었다.

에 주창한 일대일로육해상 실크로드는 단순한 실크로드가 아니라 몽고 제국의 중앙아시아, 아랍 그리고 유럽 원정로를 따라가고 있다. 중국이 유럽을 넘어 아프리카까지 구축하고자 하는 철도, 도로, 인터넷망, 항공망, 해상 항로는 몽고 제국 당시 설치된 수만 개의 역참驛站과 유사하다. 당시 역참은 전쟁 물자를 동원하고 노획품을 북경으로 수송하는 역할을 했다. 일대일로 연선沿線 65개 국가를 상대로 갈수록 거세지는 중국의 일대일로 공세는 중화제국 건설을 위한 포석이라는 얘기다.

7년 동안의 토굴생활

시진핑의 고향은 아버지인 시중쉰 전 부총리의 호적에 따라 산시陝西성 푸핑富平으로 기록돼 있다. 그러나 태어나고 자란 곳은 베이징이다. 시중쉰은 서북西北 군구 정치위원 겸 당 중앙 서북국 서기를 하다 1950년 9월 중국공산당 중앙선전부당 중앙선전부 부장에 임명돼 베이징으로 왔다. 그리고 3년 뒤 시진핑이 태어났다. 아버지의 권력 덕에 어린 시절 시진핑은 유복했다. 혁명원로나 고위 관리 자녀들이 주로 다녔던 베이징 101중학교고등학교 과정 포함도 다닐 수 있었다. 그래서 좋은 친구도 많이 만났다. 시진핑의 최고 경제 참모이자 부총리인 류허劉鶴, 1952~ 는 당시 같은 반의 친한 친구였다. 시진핑이 여섯 살이던 1959년 시중쉰은 부총리까지 오르며 승승장구했다. 행복이 꽃피던 시절이었다.

그러나 인생사가 어디 꽃길이기만 하던가. 시중쉰은 1962년 마오쩌둥에게 반혁명분자로 몰리며 나락으로 떨어졌다. 류즈단劉志丹의 생애를 그린 소설이 화근이었다. 이 소설은 류즈단의 제수인 리

젠퉁李建彤, 1919~2005이 『공인일보』에 연재하고 있었다. 류즈단은 중화인민공화국 건국 100대 영웅 가운데 한 사람이다. 시중쉰과 함께 중국 서북 지역에서 홍군인민해방군의 전신을 조직하고 혁명 근거지를 만든 걸물이다. 소설은 '산간 혁명이 중앙 홍군을 구했듯 산간 출신이 마오쩌둥의 실책을 구할 것이다'는 의미로 오해받았다. 당시 마오쩌둥은 대약진 운동의 실패로 정치적 위기에 몰려 권력을 지키기 위한 희생양을 찾고 있었다. 결국 이 소설은 6만여 명이 고초를 겪고 6,000여 명이 숨지는 대형 필화로 번진다. 류즈단의 전우였던 시중쉰 당시 국무원 부총리도 화를 피해가지 못했다. 그는 직위에서 해임되고 구류돼 조사받았다. 이후 그는 1978년 정치협상회의 상임위원으로 복권되기 전까지 16년 동안 감금과 투옥, 하방이라는 비참한 삶을 이어갔다. 아버지의 실각은 가정의 비극이었다. 모든 식구가 매일 사상 비판에 시달렸다. 설상가상으로 1966년에는 문화대혁명1966~76, 문혁까지 덮쳤다. 류즈단 사건의 연장선이었다. 시진핑은 하루아침에 부총리의 귀공자에서 반동분자의 아들로 추락했다. 거친 사상 비판을 받았고 1969년 농촌으로 하방됐다. 아버지가 혁명 활동을 했던 산간벽지인 산시성 옌촨延川현 량자허梁家河 마을이었다. 당시 그는 갓 고등학교를 졸업한 16세 청년이었다. 이후 그는 7년 동안 인생 최악의 질곡 속으로 빠져든다. 훗날 시진핑은 당시 그가 겪었던 고초를 다섯 가지五關로 정리해 회고했다.

첫째는 벼룩이었다. 위생이 열악한 당시 농촌에 벼룩은 널려 있었다. 특히 밤에는 벼룩이 들끓어 잠도 잘 수 없었다. 벼룩에 물린 자리는 벌겋게 부어올라 수포가 됐다. 가려웠고 가려움을 참지 못해 죽을 생각까지 했다. 둘째는 음식이었다. 베이징의 귀공자였던 시진핑에게 굵고 거친 잡곡밥이 목에 넘어갈 리 없었다. 그러나 먹을 것은 그것뿐이었다. 그는 살기 위해 모래 같은 밥을 씹고 또 씹었다. 언감 생심이라고 고기는 꿈도 꾸지 못했다. 시진핑은 결혼 후 부인 펑리 위안에게 "당시 7년간 돼지고기를 먹지 못했다. 하방 막바지에 생산 대에서 돼지고기 100그램을 배급받았다. 너무 먹고 싶어 요리할 때 까지 기다리지도 못하고 생고기를 그대로 씹었다. 정말 맛있었다" 라고 말했다고 한다. 셋째는 일상생활이었다. 모든 게 자력갱생이었 다. 청소와 밥은 물론이고 스스로 양말이나 이불을 깁고 옷도 만들 어 입었다. 귀공자 시진핑에게 결코 쉽지 않은 일이었다. 넷째는 노 동이었다. 중노동은 새벽부터 이어졌다. 산에 오르면 숨이 찼고 무 거운 짐을 못 이겨 넘어지기 일쑤였다. 다섯째는 사상이었다. 계속 되는 자아비판은 육체노동을 압도하는 중노동이었다. 신세를 한탄 하며 눈물로 밤을 지새우는 일도 흔했다.

질곡의 일상을 그는 어떻게 극복했을까. 그가 훗날 언론과 지인들 에게 전한 말을 종합해보면 이렇다. "농촌에 하방됐을 당시 나는 아 직 어렸다. 생소한 농촌에서 주위 사람과 잘 사귀지 못했다. 매일 산 으로 나가 일을 해야 하는데 나는 제멋대로 행동해 사람들이 날 좋 지 않게 봤다. 수개월 후 나는 재교육이 필요하다는 현지 당 지도부 판단에 따라 베이징으로 돌아왔고 '학습반'에 들어갔다. 반년 후 석 방돼 농촌으로 다시 내려갈 때 생각을 바꿨다. 피할 수 없는 운명이 라면 이겨내야 했다. 현장에 나 자신을 철저하게 맞추기로 다짐했 다. 인민과 적극적으로 접촉했고 일도 주도적으로 했다. 그러자 나 의 숙소는 밤이 되면 노인과 젊은이들이 찾아와 어려움을 상담하는 곳이 되었다. 나는 동서고금의 역사를 얘기하며 그들을 위로하고 고

시진핑은 하방 당시 인민과 적극적으로 접촉했고
일도 주도적으로 하면서 현실과
실사구시가 무엇인지, 또 인민이 무엇인지 알았다고 말한다.
시진핑은 이때부터 미래 대권을 위해
무엇을 해야 하는지 사유했다.

충을 나눴다. 노동에서도 현지인들에게 지지 않으려고 노력했다. 당시 나는 100킬로그램 밀을 짊어지고 10킬로미터의 산길을 걸어도 지치지 않을 정도로 체력을 길렀다. 그렇게 농민의 마음을 얻었고 리더십이 어떻게 만들어지는지 체득했다" 그리고 7년 후 량자허를 떠나며 시진핑은 주민들에게 이렇게 말했다. "현실과 실사구시가 무엇인지, 또 인민이 무엇인지 알았다. 그리고 스스로에 대한 자신감을 배양했다." 이때부터 시진핑은 미래 대권을 위해 무엇을 해야 하는지, 어떻게 자신을 담금질해야 하는지를 사유하고 고민했던 것 같다.

그의 하방 시기는 문혁 기간이었다. 그러나 그는 미래를 위해 대학을 포기할 수 없었다. 한데 문제는 당적이었다. 반동의 아들로 낙인이 찍혀 10번이나 입당 원서를 냈지만 번번이 거부당했다. 기회는 1972년에 왔다. 농촌생활 매사에 모범을 보이고 적극적으로 임했던 것이 평가받아 '적극분자'로 발탁된 것이다. 이에 펑자펑馮家坪 공사 자오자허趙家河 대대에서 노선 교육을 강의하게 된 시진핑은 기회를 놓칠세라 입당 신청서를 내밀었다. 옌촨현 당위원회 서기는 "부친의 복권에 대한 결론은 아직 나오지 않았지만 그 때문에 아들의 입당 문제를 취소할 수는 없다. 그는 유능하고 당성이 적극적인 청년"이라며 허가 결정을 내렸다. 결국 이듬해인 1973년 입당 서류가 통과됐다. 꿈에 그리던 일이었다. 그 해 겨울에는 량자허 대대 당지부 서기에 오른다. 시진핑은 당시 입당이 부친의 후광 덕을 본 것이라고 인정한다. "그곳은 부친의 공산혁명투쟁 근거지였다. 그런 배경이 있어 많은 사람이 도와줬다. 물론 나 자신도 끝까지 포기하지 않고 투쟁하고 노력했다." 8,800만 당원을 거느린 당 총서기 시진핑의 입당은 이렇게 험하고도 먼 길을 넘고 돌아서 가능했다. 중국공산당의 아이러니가 아닐 수 없다. 당적은 얻었지만 또 다른 난관에 봉착했다. 문혁 기간에는 간부들에게 추천받은 노동자와 농민 그리고 병사만이 대학에 입학할 수 있었기 때문이다. 마침 옌안 지구 칭화 대학에서 입학생 두 명을 뽑기로 했다. 그중 한 명이 옌촨현에 할당됐다. 문제는 누가 반동분자의 아들인 그에게 추천서을 써주느냐였다. 이때 구원 투수가 등장하는데 왕천王晨, 1950~ 현 전인대 상무위 부위원장이다. 그는 시진핑의 적극성과 리더십 그리고 투철한 당성을 적극적으로 홍보하며 추천서 작성을 주도한다. 그렇게 시진핑은 문혁 막바지인 1975년 칭화 대학 화공과에 입학했다. 사실 왕천은 1969년부터 2년간 산시성 옌안 이쥔宜君현으로 하방돼 지식청년知靑으로 가혹한 농촌 체험을 했는데 바로 옆에 있었던 시진핑과 호형호제하는 사이였다. 이런 인연으로 왕천은 제19차 당대회에서 정치국원에 오른다.

잔인할 정도로 치밀한 대권 도전기

1979년 대학을 마친 시진핑은 겅뱌오耿飈, 1909~2000 당 중앙군사위 비서장의 비서가 된다. 겅뱌오는 당시 중국공산당 정치국원이자 국무원 부총리를 겸했던 거물이었다. 시진핑의 부친 시중쉰과는 혁명동지였다. 시진핑은 부친 덕분에 모든 학생이 선망하던 꽃보직을 맡은 셈이다. 비서직은 바빴지만 편했다. 친구들에게 폼도 잡을 수 있었다. 한데 어느 날 시진핑은 "이건 아니다"라고 생각했다. 그리고 1982년 농촌 근무를 자원한다. 그는 당시 상황에 대해 "자극 없는 생활이 오히려 불안했다. 나는 기층基層에 들어가 인민과 함께 살고 싶었다. 그게 미래를 위해 자신을 더 단련하고 배양하는 길이라 생각했다"라고 말했다. 겅뱌오는 말렸다. "농촌은 너무 힘드니 가려거든 차라리 야전부대로 가서 군 경력을 쌓으라"고 조언했다. 그러나 시진핑은 고집을 꺾지 않았다. 그는 한번 결정하면 물러서는 법이 없었다. 시진핑은 "당시 겅뱌오 비서장과 많은 친구가 나의 결정을 이해하지 못하고 만류했다. 당시 주동적으로 베이징에서 농촌으로 가려는 사람은 류위안劉源, 1951~ 과 나 정도였다"라고 회고한다. 류샤오치劉少奇, 1898~1969 전 국가주석의 아들인 류위안은 이후 시진핑을 도와 군 개혁에 핵심적인 역할을 하는 등 시진핑의 든든한 동지이자 후원자가 된다. 상장대장격 출신인 그는 인민해방군 총후근부 정치위원을 거쳐 현재 전인대 재정경제위 부주임으로 있다.

시진핑의 첫 부임지는 허베이河北성 정딩正定현 부서기였다. 당시 그는 29세의 청년이었다. 그는 정딩현에서 량자허의 경험을 십분 활용했다. 남루한 군복을 입고 농촌 간부들과 마찬가지로 자전거를 탔다. 식사도 현 정부 식당에서 했다. 그러면서 현의 개혁은 강하게 밀어붙였다. 생산의 효율성을 높이기 위해 농민들이 쉬는 시간에 서로 남의 일을 돕도록 했다. 정딩현이 삼국지의 명장 조자룡趙子龍, ?~229의 고향이라는 점을 적극적으로 홍보해 관광객 유치에도 힘썼다. 그 결과 정딩현은 매년 1,000만 위안을 벌어들였다. 허베이성 단일 현으로는 가장 많은 관광 수입이었다. 정딩현은 3년 동안 허베이성 최고 부자 현으로 발전했고 시진핑은 1985년 푸젠福建성 샤먼廈門시의 부시장으로 영전한다. 1980년대 중국에서 샤먼시가 차지하는 지위는 막강했다. 개혁개방을 시작했는데 유일하게 샤먼에만 타이완 기업들이 투자했기 때문이다. 시진핑은 곧바로 '샤먼 경제

2000년 사회 발전전략'을 짠다. 그리고 타이완 투자유치와 협력에 모든 걸 바쳐 샤먼시 경제를 혁신한다. 이후 그는 17년간 푸젠성에서 근무하면서 개혁개방 최고의 실적을 만들어낸다. 시진핑이 저장浙江성 서기로 떠났던 2002년 푸젠성의 1인당 소득은 전국 최고 수준인 3,000달러를 기록했다.

대권을 염두에 뒀던 시진핑의 행보는 다른 공직자와 달랐다. 그가 샤먼시에 있는 푸젠성의 대표적인 빈곤 지역인 닝더寧德 서기에 부임했을 때 현지 공직자 사이에서는 호화 사저가 유행하고 있었다. 시진핑은 곧바로 조사를 지시했고 1982년 이래로 7,392명의 간부가 부정한 방법으로 사저를 지은 사실이 밝혀졌다. 그는 대부분 관련자를 조사하고 처벌했다. 현지 간부와 원로들이 "이 지역 모든 간부와 척을 질 셈이냐"라고 항의하자 "수만 명의 인민과 척을 지느니 수백 명의 부패 공무원과 척을 지겠다"라고 말하며 일축했다.『인민일보』는 이 사건을 보도했고 시진핑은 일약 미래의 중국 지도자 후보군에 이름을 올린다. 시진핑은 이렇게 푸젠성에서 대권을 위한 기반을 다진다. 시진핑 권력을 지탱하는 친위대 그룹인 시자군習家軍 가운데 푸젠방福建幫은 이때 시진핑이 주목하고 발굴한 인재들이다.

시진핑이 저장성 서기로 있던 2006년 9월, 천량위陳良宇, 1947~ 당시 상하이시 서기가 낙마했다. 천량위 서기가 후진타오와 원자바오溫家寶, 1942~ 전 총리가 추진하는 분배 위주의 경제정책에 정면으로 항의한 게 발단이었다. 천량위 서기는 성장 위주 정책을 주장하며 원자바오 면전에서 탁자를 내려치기까지 했다. 괘씸죄에 걸린 천량위는 당 기율위의 조사를 받았고 사회보장기금 횡령혐의로 투옥된다. 그러나 이 사건의 이면에는 치열한 권력 싸움이 숨어있었다. 후진타오의 공산주의청년단공산주의청년단 고위 간부 출신의 정치세력, 공청단과 장쩌민의 상하이방상하이시 간부 출신의 정치세력 간의 파워 게임이었다. 당시 상하이시 서기는 이전 20년 동안 상하이시 간부가 승진, 임명돼는 게 관례였다. 장쩌민은 천량위는 보호하지 못했지만 상하이시 서기까지 공청단에 양보할 수는 없었다. 부패척결을 내세운 후진타오는 공청단 인사를 밀었고 장쩌민은 이에 반대했다. 후임 인사가 난항을 겪으며 상하이시 서기는 6개월간 공석으로 남았다. 당시 최종 후보는 공청단의 류옌둥劉延東, 1945~ 국무 위원, 장쩌민과 가까운 장가오리張高麗, 1946~ 톈진天津시 서기 그리고 시진핑이었다. 결론은 의외로 시진핑이었다. 상하이방도, 공청단도 아닌 태자당혁명원로나 고위 관료 자녀 출신의 정치세력 출신인 시진핑이 어부지리로 상하이시 서기가 된 것이다. 대권을 꿈꾸던 그에게 경제수도 상하이시 서기 자리는 굴러들어온 횡재였다. 그가 양 파벌과 척지지 않았던 게 결정적이었다. 후진타오는 상하이방이 아닌 인물을 찾았고 장쩌민은 공청단의 상하이 입성을 저지했다는 데서 양측의 절묘한 타협이 이뤄졌기 때문이다. 당시 당 중앙조직부장이던 허궈창賀國强, 1943~ 역시 "상하이시 한곳의 시야가 아닌 전국적인 시야에서 이뤄진 인사다. 시진핑은 정치적으로 강고하고, 사상과 정책 수준이 높으며, 거시 정책의 결정능력도 강하다. 또 행정능력이 풍부하고 리더십이 강하다"라고 인사 배경을 설명했다. 상하이에서의 반년은 시진핑에게 차기 대권을 준비하는 결정적 계기가 됐다. 2007년 3월 상하이시 서기로 부임한 시진핑을 위해 현지 관료들은 영국식 3층짜리 화려한 양옥을 사택으로 준비했다. 시진핑은 이를 한번 둘러보고는 "원로들의 요양원으로 하면 더 적합하겠다"라는 말을 남기고 떠나버린다. 또 저장성 출장길에 항저우杭州까지 직행으로 가는 전용 열차를 준비했지만 그는 7인승 미니버스를 이용했다. 친인척 단속도 국가 원수가 하는 수준으로 했다. 그는 상하이시에 부임하자마자 현지에서 사업을 하고 있던 먼 친척들을 모두 다른 도시로 떠나도록 했다. 행여 불미스러운 잡음이 생기면 대권에 지장이 있을 것이라는 판단 때문이었다. 그는 만사를 점검하고 또 점검하는 치밀한 성격이었다. 시진핑의 이런 행보를 본 상하이시 공직자들은 긴장할 수밖에 없었고 형식주의나 허례허식보다 실무적인 업무 풍토를 스스로 만들었다. 상하이시는 천량위 충격에서 빠르게 안정을 찾아갔다. 상하이시 서기가 되기 전까지만 해도 시진핑은 후계자 경쟁에서 후진타오가 밀었던 리커창에게 밀리고 있었다. 그러나 상하이시에서 그가 발휘한 정치적 리더십과 행정능력이 언론에 보도되자 당의 원로와 중국인들은 급속히 시진핑을 주목하기 시작한다.

20년 전 아버지의 집무실에 입성하다

아직 후계자가 확정되지 않았던 2007년 6월, 후진타오는 400명의 고위직 인사를 대상으로 차기 지도자 선호도를 물었다. 리커창을 차기 지도자로 올리기 위한 수순이었다. 하지만 결과는 그의 생각과 달랐다. 당연히 1위를 차지할 줄 알았던 리커창은 2위로 밀리고 시진핑이 1위를 차지한 것이다. 후진타오는 공청단의 득세에 대한 견제심리 때문이라고 자위했다. 그리고 인기투표에 불과하다며 그 의미를 축소시켰다. 그러나 장쩌민과 쩡칭훙曾慶紅, 1939~ 전 중화인민공화국 부주석국가부주석 등 원로 그룹이 선호도 투표 결과를 근거로 시진핑을 밀기 시작했다. 상하이방과 태자당의 연합세력을 상대하기가 중과부적棄寡不敵이었던 후진타오는 결국 리커창 후계 구도를 포기한다. 대신 그는 공청단을 대거 정치국원에 입성시키고, 자신의 '과학적 발전관'을 '당장'에 삽입시킨다는 약속을 받아낸다. 그렇게 시진핑은 2007년 10월 열린 당 중앙위원회에서 리커창보다 한 단계 위인 당 서열 6위로 정치국 상무위원에 오른다. 당시 중앙위원이었던 시진핑은 정치국원을 뛰어넘어 곧바로 국가 최고 지도부로 직행했다. 2008년 3월 시진핑은 전인대에서 국가부주석에 오른다. 사실상 차기 국가주석직을 확정하는 인사였다. 초고속으로 영전한 시진핑이 제일 처음 찾은 곳은 집무실이 있는 중난하이中南海 난수팡南書房이었다. 중난하이는 중국 최고 지도부의 사무실과 거처가 있는 곳으로 자금성과 붙어 있다. 난수팡의 전 주인이었던 쩡칭훙은 사무실을 떠나며 시진핑에게 이렇게 말한다. "진핑, 이 사무실은 후진타오가 국가부주석 시절 사용했다. 20년 전 당신 아버지의 집무실이기도 하다." 아버지에게 '실사구시' '후도관용'이라는 유훈을 받은 지 6년 만의 일이었다. 만감이 교차했을 것이다. 그리고 그는 2012년 열린 제18차 당대회에서 총서기에 오르고 2013년 3월 전인대에서 국가주석에 선출된다. 량자허 마을을 떠나며 대권을 꿈꾼지 38년 만이었다. 시진핑의 뼈를 깎는 노력도 있었지만 장쩌민과 쩡칭훙의 지원이 없었다면 오늘의 시진핑은 없었을지 모른다. 시진핑이 서슬 퍼런 부패척결을 주도하면서도 장쩌민과 쩡칭훙 두 원로에 대한 예의를 깍듯이 지키는 이유다.

권력은 총구에서 나온다

장쩌민과 후진타오가 각각 10년의 집권 기간 동안 이루지 못한 황제에 버금가는 1인 권력을 시진핑은 어떻게 집권 5년 만에 이뤄 냈을까. 더구나 마오쩌둥의 문혁 이후 특정 개인에게 권력이 집중되는 것을 터부시하고 파벌 간 타협과 분배의 권력문화가 자리 잡은 중국에서 말이다. 이유는 복합적이다. 우선 그는 수십 년 동안 군 장악에 공을 들였다. 중국은 공산당의 나라이지만 배후에 강력한 인민해방군이 없다면 동력을 상실하는 건 시간문제다. 오죽했으면 마오쩌둥이 "권력은 총구에서 나온다"라고 했겠나. 장쩌민이 후진타오에게 총서기와 국가주석직을 내주고도 2년 동안 당 중앙군사위 주석직을 붙들고 있었던 이유이기도 하다. 시진핑의 이력을 보면 다른 지도자들과 다른 점이 하나 있다. 바로 어디에서 근무하든 현지 군부대를 장악하고 관리했다는 점이다. 이는 벼슬길 시작부터 예외가 없었다.

전술한 대로 그의 첫 관직은 1982년 허베이성 정딩현 부서기다. 현지에 부임한 그는 현 무장부 제1정치위원에 오른다. 물론 부친과 그가 상관으로 모셨던 겅뱌오 당 중앙군사위 비서장의 도움이 있었을 것이다. 1985년 푸젠성으로 임지를 옮겨서도 17년 동안 닝더 군분구軍分區 제1서기, 푸저우福州 군분구 제1서기, 푸젠성 대공포 예비사단 제1정치위원, 푸젠성 국방동원위원회 주임 자리를 놓지 않았다. 푸젠성 대리성장 시절에는 난징南京 군구 국방동원위원회 부주임까지 겸직한다. 저장성 서기 시절에는 아예 저장성 군구 제1서기를 겸하고 불과 6개월 근무했던 상하이시 서기 시절에도 상하이시 무장 경비구 제1서기를 맡아 군을 챙겼다. 이렇게 30년 넘게 현장에서 관리하고 통솔했던 군은 2012년 그를 당 중앙군사위 주석에 오르게 한 일등공신이 된다.

당시 군 개혁을 추진하던 시진핑에게 가장 큰 걸림돌이 된 사람은 군 실권을 쥐고 있었던 쉬차이허우徐才厚, 1943~2015와 궈보슝郭伯雄, 1942~ 전 당 중앙군사위 부주석이었다. 이때 군 요직에 심어뒀던 시진핑의 측근들이 둘의 비리를 제보하고 당 기율위가 그들을 부패 혐의로 처벌한다. 그가 총서기에 오르기 전 가장 신경 썼던 인사가 바로 군 요직이었고 현재 중국군의 요직은 대부분 그가 지방에서 키웠던 측근들이 장악했다. 군을 장악하자 당 장악은 일사천리로 진행됐다. 현 정치국 상무위원 가운데 그의 측근이거나 수하가 아니었던 인물은 리커창 총리뿐이다. 왕양 중국인민정치협상회의정협주석이 공청단, 한정 부총리가 상하이방으로 분류되지만 사실상 시진핑에게 충성을 맹세한 측근이라고 보는 게 더 현실적인 분석이다. 이 때문에 시진핑 1인 권력 시대에 권력 파벌은 상존하지만 큰 의미는 없다.

충성도가 높고 능력이 출중한 인재 선발과 관리도 1인 권력 구축의 일등공신이다. 이 역시 시진핑이 지방에 있을 때부터 시작됐다. 그는 지방 행정을 책임진 25년여 동안 끊임없이 국가의 동량이 될 인재들을 발굴하고 관리했다. 여기에 그의 모교인 칭화 대학 학연과 아버지에게 물려받은 태자당 인맥도 포함된다. 총괄적인 인재 관리를 소홀히 하지 않았다는 얘기다. 이른바 시자쥔習家軍, 시진핑의 측근세력 확보다. 시자쥔은 크게 태자당, 시진핑의 고향인 산시성 인맥, 푸젠방, 즈장신쥔之江新軍 그리고 칭화 대학 학연 등으로 나뉜다. 자오러지 당 기율위 서기와 리시李希, 1956~ 광둥廣東성 서기는 대표적인 고향 인맥이다. 자오러지 서기는 칭하이青海에서 평생을 보냈지만 본적과 고향은 시진핑과 같은 산시다. 또한 그의 부친은 시중쉰

밑에서 일했다. 리시는 간쑤甘肅성에서 태어났는데 고향은 시중쉰이
혁명 활동을 시작했던 양당兩當현이다. 또한 시중쉰과 친한 리쯔치
李子奇, 1923~2014 전 간쑤성 서기의 비서로 일했다. 푸젠방은 1985년
부터 2002년까지 시진핑과 일했던 푸젠성 출신 엘리트들이다. 정치
국원이 된 차이치蔡奇, 1955~ 베이징시 서기와 황쿤밍黃坤明, 1956~ 당
중앙선전부장은 당시 시진핑 밑에서 일했다. 경제정책을 입안하는
허리펑何立峰, 1957~ 국가발전개혁위원회 주임도 푸젠방에 속한다.
즈장신군도 막강하다. 2003년 3월부터 5년간 시진핑 당시 저장성
서기는 『저장일보』에 『즈장신어』之江新語라는 칼럼을 232편 실었다.
당시 「즈장신어」를 기획하고 초고를 쓴 이가 천민얼陳敏爾, 1960~ 충
칭重慶시 서기다. 시진핑의 강력한 후계자 가운데 한 명이다. 즈장은
저장성을 관통하는 강 이름이다. 천민얼은 시진핑의 후광에 힘입어
저장성 선전부장에서 부성장을 거쳐 구이저우貴州성 부서기, 성장,
서기 등으로 승승장구했다. 그러다가 쑨정차이孫政才, 1963~ 전 서기
실각 후 충칭시를 접수하고 정치국원에 올랐다. 상하이시 서기에 오
른 리창李强, 1959~ 역시 새로운 정치 스타다. 리창은 시진핑이 저장
성 서기로 재직할 때 비서로 보좌했다. 제18차 당대회에선 중앙위
원 후보였지만 제19차 당대회를 통해 정치국원에 올랐다. 이 밖에
도 시진핑이 지방에서 발탁한 수천 명의 젊은 인재가 당, 행정부, 경
제계에서 시진핑을 지원하고 있다.

적극적으로 압박해 목적을 이룬다

　시진핑의 권력 장악에는 국제 정세도 한몫했다. 도널드 트럼프
Donald Trump, 1946~ 미국 대통령이 미국 우선주의를 앞세워 중국을

압박하자 이에 대응할 수 있는 강력한 리더십을 요구하는 목소리가 중국 내에서 커졌다. 중국의 대표적인 외교 전문가인 옌쉐퉁閻學通, 1952~ 칭화 대학 당대국제관계연구원장은 2013년 시진핑 취임 이후 펴낸 저서『역사의 관성』歷史的慣性에서 종합국력을 '정치력×군사력+경제력+문화력'으로 정의했다. G2미국과 중국 시대에 미국에 대응하기 위해선 집단지도체제가 아닌 강력하고 효율적인 개인 리더십이 필요하다는 논리다. 물론 시진핑의 강력한 야망도 작용했다. 그는 강력한 리더십 없이 효율적인 중화부흥은 어렵다고 보고 덩샤오핑의 도광양회韜光養晦, 빛을 감춰 밖으로 새지 않도록 하면서 은밀하게 힘을 기름 전략을 접었다. 대신 분발유위奮發有爲, 매사에 적극적으로 개입함와 돌돌핍인咄咄逼人, 적극적으로 남을 압박해 목적을 이룸 전략을 구사하기 시작했다. 특히 주변국에 압박 외교를 서슴지 않고 있다. 한국에 대한 사드 보복, 베트남, 필리핀 등 동남아 각국과의 남중국해 영유권 분쟁, 일본과의 센카쿠 열도중국명 댜오위다오 분쟁, 인도와의 국경 충돌 등이 시진핑의 강력한 1인 권력과 야성이 외교에 반영된 사례들이다. 시진핑의 이런 압박 외교는 이후에도 계속될 것이다. 아니 그가 물러난다 해도 이런 압박 외교의 관성은 그대로 남을 것이다.

　강력한 권력을 체계적으로 구축한 시진핑에게도 문제가 하나 있다. 바로 건강이다. 2017년 12월 공산당 중앙 농촌 공작회의가 갑자기 연기됐다. 당시 이유는 밝혀지지 않았다. 2018년 초 미국에 서버를 둔 중화권 매체인『보쉰』博訊은 중국 정가 고위 소식통을 인용해 "2017년 12월 18일 개막한 중앙 경제공작회의 직후 시진핑의 몸이 좋지 않았다. 이 때문에 회의에 이어 열릴 예정이었던 중앙 농촌 공작회의가 갑자기 연기됐다. 시진핑은 의료진의 응급처치를 받았고 큰 문제는 없었다"라고 전했다. 그가 복통을 앓았다는 게 『보쉰』의 보도다. 시진핑의 건강 문제는 이전에도 불거진 적 있다. 당 총서기에 오르기 3개월 전인 2012년 9월에는 갑자기 보름여 동안 실종됐다. 힐러리 클린턴Hillary Clinton, 1947~ 당시 미 국무장관과의 회담도 취소됐을 정도였다. 이후 상당수의 권력 내부 소식통은 "그의 건강 때문이었다"라고 얘기하고 있다. 수영을 하던 중 갑자기 가슴에 통증을 느꼈고 응급처치를 받았다고 전해진다. 과로에 치밀함과 완벽함을 추구하는 시진핑 특유의 천성과 무관하지 않다는 분석도 나왔다. 물론 중국공산당이나 정부는 어떤 해명도 내놓지 않고 있다. 다만 계속된 언론 보도는 그의 건강이 최상의 상태가 아니라는 것을 시사한다.

시진핑 약력

- 1953년생, 고향은 산시성 푸핑현, 칭화 대학 화공과 졸업, 법학 박사
- 1969~1975년: 산시성 옌촨현 량자허 지식청년, 당지부 서기
- 1979~1982년: 국무원 판공실, 당 중앙군사위 판공실 비서(현역)
- 1982~1985년: 허베이성 정딩현 부서기, 서기, 현 무장부 제1정치위원
- 1985~1990년: 푸젠성 샤먼시 부시장, 닝더시 서기, 닝더시 군분구 제1서기
- 1990~1996년: 푸저우시 서기, 푸저우시 군분구 제1서기, 푸젠성 부서기
- 1996~2002년: 푸젠성 대공포 예비역사단 제1정치위원, 푸저우 대리성장, 난징시, 푸젠성 군구 국방동원위원회 부주임
- 1998~2002년: 칭화 대학 법학 박사
- 2002~2007년: 저장성 대리성장, 서기, 저장성 국방동원위원회 주임, 저장성

군구 제1서기
- 2007~2007년: 상하이시 서기, 상하이시 무장경비구 제1서기
- 2007~2012년: 정치국원, 중앙서기처 서기, 중앙당교 교장, 국가부주석, 당 중앙군사위 부주석
- 2012~2013년: 당 총서기, 당 중앙군사위 주석
- 2013~ : 당 총서기, 당 중앙군사위 주석, 국가주석

2 참모로 전락한 총리

리커창李克强 중화인민공화국 국무원 총리

공청단과 리커창의 몰락

베이징 특파원 시절 리커창李克强, 1955~ 총리를 두어 번 본 적 있다. 매년 3월 양회兩會, 국회 격인 전인대와 정치 자문 기구인 정협 회의가 끝나고 열리는 내외신 기자 회견장에서다. 그는 밝고 순수해 보였다. 그러나 말이 많았고 몸동작이 컸다. 기자가 묻지 않은 질문에도 답하고 싶어 했다. 재기가 너무 넘친 듯했다. 어쩔 땐 손동작이 너무 커서 부자연스럽기까지 했다. 그는 중후함보다는 소탈함으로, 노회함이나 치밀함보다는 진실과 순수로 승부하는 리더로 보였다. 14억 인구를 이끄는 중국 총리에 대한 단견이다. 리커창은 분명 공산당 권력 서열에서 시진핑에 이어 두 번째다. 그런데 2인자에게 어울리는 권력이 있느냐 하면 좀 의문이다. 부정적인 답변이 지배적이다. 집단지도체제를 취하고 있는 중국의 총리는 경제정책을 총괄해야 하고 행정부인 국무원을 쥐락펴락해야한다. 정치국 상무위원으로서 주도적으로 국가 핵심정책을 조율하고 결정할 수 있어야 한다. 더나아가 자신만의 권력 파벌 하나 정도는 챙기고 있어야 한다. 그러나 리커창의 실상은 전혀 그렇지 못 하다. 오히려 시진핑의 1인 권력이 강화되면서 총리의 위상은 추락을 거듭하고 있다. 2017년 10월 말에는 '당 중앙 집중 영도 강화 호위에 관한 약간의 규정'이 당 중앙정치국에서 통과됐다. 이 규정에 따르면 총리도 매년 서면으로 국가주석에게 업무보고를 해야 한다. 정치국 상무위원 개개인에게 담당 분야 최고의 결정권이 위임됐던 기존의 집단지도체제는 사라졌다. 총리마저 국가주석과 상하 관계로 규정된 게 현재 중국 권력의 현실이다.

리커창의 추락은 공청단의 몰락과 궤를 같이한다. 공청단은 후진타오와 리커창을 핵심으로 하는 공청단 고위직 출신 정치세력을 말한다. 한데 공청단 지도부는 현재 거의 와해된 상태다. 친이즈秦宜智, 1965~ 공청단 제1서기가 2017년 9월 국가질량감독검험검역총국질검총국, AQSIQ 부국장으로 좌천된 이후 주목할 만한 인사 등용이 없다. 공청단 지도부에 힘이 실리지 않으니 조직 전체가 맥이 빠져 있다.

당 청년조직인 공청단은 중국공산당보다 1년 빠른 1920년 상하이에서 만들어졌다. 14세 이상 28세 이하 청년들이 입단할 수 있다. 2017년 말 현재 당원수는 8,124만 명으로 중국 전체 공산당원 8,800만 명과 맞먹는다. 그동안 공청단의 수장인 제1서기는 사실상 차세대 지도자의 등용문으로 여겨졌다. 실제로 제1서기는 장관급 대우를 누렸으며 직을 마치면 성장, 부장장관 이상의 직위로 영전하는 것이 관례였다. 후진타오를 비롯해 리커창, 후춘화胡春華, 1963~

" 모든 사람은 거주할 집이
있어야 한다.
이렇게 주거환경이
열악한 가정이 이 현에
얼마나 되느냐. **"**

판자집 100만호에 대한 주택 개량사업을 벌인 리커창

광둥성廣東省 서기, 쑹더푸宋德福, 1946~2007 전 푸젠성 서기, 저우창周強, 1960~ 최고 인민법원 원장, 루하오陸昊, 1967~ 헤이룽장黑龍江성 성장 등이 공청단 제1서기를 지낸 중국 정계의 스타들이다. 후진타오 국가주석 시절 이들이 승승장구하면서 공청단은 태자당, 상하이방과 함께 중국 권력의 삼분三分시대를 열었다. 그러나 시진핑이 "공청단이 귀족주의에 빠졌다"라고 비판한 이후 쇠락의 길을 걷고 있다. 사실 친이즈 전 서기가 사실상 차관급이라고 할 수 있는 질검총국 부국장으로 좌천되기 전부터 공청단의 쇠퇴는 불가피한 면이 있었다. 후진타오의 비서실장 격인 중국공산당 중앙판공청당 중앙판공천 주임을 지낸 링지화令計劃, 1956~ 통일전선 공작 부장이 2015년 8월 부패혐의로 낙마한 것이 결정타였다. 공청단의 좌장인 후진타오의 최측근이자 공청단의 핵심 중의 핵심인 링지화 부장의 실각 여파는 폭풍에 가까웠다. 2017년 10월 제19차 당대회에서는 공청단 핵심 인사인 리위안차오李源潮, 1950~ 국가부주석마저 정치국원은 물론 중앙위원에서도 탈락했다. 당시 그의 나이는 67세로 '7상8하'최고 지도부 진입 시 67세면 유임, 68세는 은퇴 관례의 적용 대상도 아니었다. 미래의 엘리트 공산당원을 키워내기 위한 조직이 파워 조직으로 변질되는 것을 용납하지 않겠다는 시진핑의 생각이 반영된 인사였다.

수재들의 수재

리커창은 1955년 7월 안후이安徽성의 딩위안定遠에서 태어났다. 후진타오, 우방궈吳邦國, 1941~ 전 전인대 상무위원장 등도 안후이성 출신이다. 리총리는 안후이방안후이성 출신의 정치 실세의 핵심 인물이다. 그는 어릴 때 수재였다. 초등학교 시절부터 전교 1등을 놓친 적

시진핑의 1인 권력이 강화되면서 총리의 위상은
추락을 거듭하고 있다.
이제 총리도 매년 서면으로 국가주석에게
업무보고를 해야 한다.
총리마저 국가주석과 상하 관계로 규정된 게
현재 중국 권력의 현실이다.

이 없었다고 한다. 그러나 그가 중학교에 입학했을 때 중국은 문혁의 대혼란에 빠져들었다. 정상적인 학교생활이 불가능했다. 학생들은 홍위병 활동에 동참하기 위해 수업을 거부했다. 리커창 역시 고민했다. 그때 부친은 그에게 폭압적인 홍위병 대신 안후이성 문사관文史館에서 일하던 리청李誠, 1906~77의 제자가 되길 권했다. 그는 동의했다. 그리고 스승에게 『사기』 『한서』 『후한서』 『자치통감』 등 고전을 배웠다. 리청은 리커창의 총명함을 보고 국가의 동량이 될 것이라고 확신했다고 한다. 그래서 매일 구두로 국학중국의 전통학문과 천문지리에 관한 지식을 전수했다. 동시대 학생들이 피비린내 나는 문혁 살육전에 빠져 있는 사이 리커창은 당대 최고 유학자를 5년간 사사하며 인생과 인격의 기초를 닦았다. 그렇다고 문혁 광풍이 그를 비켜 가진 않았다. 1974년 3월 그는 농촌으로 하방됐다. 안후이성 펑양鳳陽현의 다먀오大廟공사 둥링東陵 대대였다. 그곳 사람들은 남녀노소를 가리지 않고 연말이 되면 절반 정도 외지로 나가서 구걸하다가 5월에 보리를 수확할 때가 돼서야 돌아왔다. 그들은 구걸을 수치로 생각하지 않았다. 당시로선 목숨을 연명하기 위한 불가피한 일이었다. 리커창은 그게 싫었다. 처참한 농촌의 실상을 바꾸고 싶었다. 19세 청년 리커창은 농민들의 굶주림을 해결하기 위해 과학 영농을 주장했다. 분업과 농산물 품종 개량을 병행하자는 거였다. 리커창이 도입한 과학 영농은 이후 많은 실적을 냈고 농촌환경도 개선됐다. 이후 현지 당 지도부는 그를 펑양현의 희망이고 미래라고 칭찬했다. 리커창은 하방 2년 만인 1976년 둥링 당 지부 서기에 올랐다.

문혁 주도자였던 4인방이 체포된 후 문혁은 끝났고 중단됐던 대학 입시도 부활했다. 1977년 8월의 일이다. 그해 치러진 첫 대입시험에는 무려 670만 명이 응시했다. 그러나 이 가운데 대학에 들어간 수험생은 27만 3,000명에 불과했다. 이때 리커창은 중국 최고 명문인 베이징 대학 법학과에 합격한다. 당시 경쟁률은 29대 1이었다. 당시 베이징 대학은 전국의 수재들로 넘쳐났다. 그런데도 리커창의 성적은 발군이었다. 졸업할 때 그는 법학과의 성적 최우수생 4명 가운데 한 명이었다. 1982년 대학을 졸업한 리커창은 선택의 기로에 섰다. 그는 동기들처럼 미국 유학을 가고 싶었다. 그러나 당시 대학 당위원회 부서기인 마스장馬石江, 1926~2001이 리커창의 학문적 재능과 리더십을 아꼈다. 그래서 그에게 학교에 남아 공청단 베이징 대학 당위원회 서기를 맡아줄 것을 부탁한다. 훗날 그의 권력 기반이 됐던 공청단과의 인연은 그렇게 시작됐다. 이후 그는 무려 16년간 공청단과 함께 한다.

역동적인 정치스타

젊은 시절 리커창은 역동적이었다. 베이징 대학 공청단에 강좌를 개설하고 여러 문화 활동을 기획했다. 각종 개혁조치도 취했다. 대표적인 게 바로 회의 시간이다. 회의 첫날 그는 정례 회의가 한 시간을 초과해서는 안 된다고 선언한다. 시간을 초과하면 누구든 회의장을 나가도 좋다고 했다. 사상 논쟁으로 몇 시간씩 진행되던 회의는 그날 이후 한 시간을 넘기지 않았다. 심지어 그가 주관하는 회의는 모두 30분 내로 끝났다. 그렇게 그는 리더십을 키웠고 단원들의 지지를 얻었다. 그는 1983년 공청단의 베이징 대학 지부에서 중앙서기처로 자리를 옮긴다. 그리고 공청단 중앙학교 부부장 겸 전국학생

연합회 비서장을 맡는다. 리커창과 당시 공청단 제1서기였던 후진타오의 인연은 이때부터 시작된다. 후진타오는 총명하고 적극적이며 성실하기까지 한 리커창에 주목했다. 그리고 리커창은 그해 연말 공청단 서기처 후보 서기에 임명된다. 후진타오의 지원이 있어 가능했던 일이었다. 후진타오는 1985년 구이저우성 서기로 옮겨가면서 리커창을 다시 공청단 서기에 오를 수 있도록 지원한다. 당시 서기처 서기는 8명이었다. 제1서기가 쑹더푸였고, 류옌둥, 리위안차오, 장바오순張寶順, 1950~ , 리커창, 뤄쌍장춘洛桑江村, 1957~ , 류치바오劉琦寶, 1953~ 등이 있었다. 이들은 모두 후진타오 국가주석 시절 중국 정가를 주름 잡았던 거물이다. 후진타오의 리커창 대우는 파격의 연속이었다. 1992년 50세의 젊은 나이에 정치국 상무위원에 오른 후진타오는 다음 해인 1993년 리커창을 공청단 제1서기로 발탁한다. 당시 리커창의 나이는 38세였다. 공청단 제1서기로는 최연소였다. 후진타오가 42세의 나이에 공청단 제1서기에 임명된 것보다 무려 4년이나 빨랐다. 이후 리커창은 1998년까지 당시 공산당 중앙서기처 서기였던 후진타오에게 공청단 관련 업무를 직접 보고하며 깊은 신뢰를 쌓아간다. 둘의 관계가 가까워지면서 성격까지 닮아갔다는 얘기도 있다. 실제로 리커창은 성실함, 모범생 이미지, 흐트러짐 없는 몸가짐, 윗사람에게 고분고분하고 반항할 줄 모르는 성격까지 후진타오를 닮았다. 이는 오늘날 그가 시진핑과의 권력 경쟁에서 뒤처진 가장 큰 이유라고 할 수 있다. 권력을 향한 결기가 부족하다는 것이다.

리커창은 공청단에 근무하는 동안 빈곤지역 학생들이 돈이 없어 배움의 기회를 잃지 않도록 지원하는 희망공정希望工程 사업을 성공적으로 정착시켰다. 공청단이 운영하는 중국 청년여행사를 발전시켜 궤도에 올려놓은 것도 리커창이다. 그는 학업에도 열중했다. 공청단 시절 베이징 대학에서 경제학 석사와 박사학위를 받았다. 그는 1985년 「중국 경제의 3원 구조를 논한다」라는 논문을 썼다. 이 논문은 1991년 중국 사회과학원이 격월간으로 발행하는 학술지 『중국 사회과학』 제3기에 실렸을 뿐만 아니라 중국 경제학계의 최고상인 '쑨예팡孫冶方 경제 과학상 논문상'을 받았을 정도로 높은 평가를 받았다. 1988년에는 「농촌공업화 : 구조 전환 과정에서의 선택」이라는 논문으로 석사학위를, 1994년에는 「중국경제의 삼원三元구조」라는 논문으로 박사학위를 취득했다. 좋은 두뇌에 최고 권력자 후진타오의 지원 그리고 학업에 대한 열정까지 더해지면서 리커창은 권력의 역사를 쓰기 시작한다. 리커창은 44세라는 역대 최연소 나이에 허난河南성 대리성장에 오른다. 이때부터 공청단의 울타리를 벗어나 천하제패를 도모하기 시작한다. 그리고 3년 후인 2002년 12월 허난성 당 서기로 승진한다. 물론 뒤에는 후진타오가 있었다. 그러나 그가 허난성 대리성장이 됐을 때 현지 관리들은 불안해했다. 나이가 너무 어린 데다 다양한 행정 경험이 적었기 때문이다. 그러나 그는 2004년까지 5년간 허난성 성장으로 일하며 성의 경제발전에 괄목할 만한 업적을 남겼다. 1990년대 초 31개의 성과 시 가운데 28위였던 허난성의 1인당 국민소득은 그가 서기로 있는 동안 18위까지 올랐다. 또 1998년 4,308억 위안이던 허난성의 지역내총생산GRDP은 6년 만에 8,554억 위안으로 무려 두배 가까이 늘었다. 그를 향한 주민들의 인기는 하늘을 찔렀고 후진타오 후계자라는 말이 공공연히 거론되기 시작했다. 2004년 12월 그는 랴오닝遼寧성 당 서기로 이동한다. 랴오닝성은 다른 지역에 비해 주거환경이 열악했다. 리커창은 여기서 그의 리더십을 시험했다. 그리고 '모든 사람은 거주할 집이 있어야 한다'人人有房住라는 구호 아래 푸순撫順시의 판잣집 100만 호에 대한 주택 개량사업을 벌였다. 2년에 걸친 대대적인 공사 끝에 184만 5,000호의 집을 개량하고 50만 호의 주택을 지었다. 동북진흥계획도 세웠다. 그 첫 사업으로 다롄大連, 잉커우營口, 단둥丹東 등 연해 공업지구 개발을 위한 '5점 1선'五點一線 계획을 추진했다. 그 결과 랴오닝성은 가장 모범적으로 '조화사회'를 달성했다는 평가를 받았다. 조화사회는 후진타오가 주도한 국정 이념으로 지속적인 성장과 빈부격차 해소 등 공평 분배를 병행 추진하는 게 주요 골자다. 리커창의 인기가 하늘을 찌르던 시절이었다.

리커창은 왜 몰락했나

당대의 정치 스타였지만 리커창은 청렴하고 신중한 자세를 견지했다. 지방 근무 시절 외부 접대를 받은 적도 없었다고 한다. 1999년 부친상을 당했을 때는 현지 관리들이 보낸 조의금을 모두 돌려보내기까지 했다. 미래 대권을 위한 경계였다. 2006년 12월『뉴스위크』 아시아판은 「내일의 스타」 특집에서 리커창을 중국의 미래 지도자로 소개했다. 당시 저장성 서기였던 시진핑은 안중에도 없었다. 중화권 언론도 일찌감치 리커창을 주목했다. 심지어 일부 매체는 그가 허난성과 랴오닝성의 당 서기로 재직할 때 공공연하게 '내일의 태양'이라며 「용비어천가」를 읊기도 했다. 오카다 가쓰야岡田克也, 1953~전 일본 민주당 대표는 2005년 랴오닝성을 방문한 뒤 "리커창 서기가 장차 중국의 미래 지도자가 될 것으로 믿는다"라고 말했을 정도였다. 예상대로 리커창은 2007년 10월 제17차 당대회에서 꿈에 그리던 정치국 상무위원에 올랐다. 그런데 권력 서열은 7위로 시진핑 6위에 한 발 밀리는 충격적인 일이 벌어진다. 당시만 해도 시진핑은 정치국 상무위원 진입 자체가 불투명한 인물이었다. 아무도 리커창이 시진핑에 밀릴 것이라고 예상하지 못했다. 이후 다양한 분석이 쏟아졌다. 크게 세 가지 이유가 설득력을 얻었다. 첫 번째는 후진타오가 후계자로 자신의 최측근 인사를 지명하는 데 부담을 느꼈을 것이라는 분석이다. 당시 공청단이 요직을 독점한다는 비판이 거세지고 있었다. 두 번째는 장쩌민과 쩡칭훙 전 부주석 등 원로그룹의 담합이다. 자신들의 권력 입지가 좁아지자 결사적으로 리커창의 후계 구도를 막았다는 분석이다. 가장 설득력 있는 분석은 세 번째로 군부의 반발이다. 태자당 출신인 시진핑은 군부 내 네트워크가 강했지만 리커창은 그러지 못했다. 이 밖에 리커창의 업적에 대한 논란도 있었다. 특히 허난성 근무1998~2004 시절 부르짖었던 중원굴기中原崛起, 중원 지역의 경제적 부흥 전략은 그가 떠난 후 부작용이 속출했고 이렇다 할 성과를 내지 못했다는 비판도 받았다.

정치국 상무위원에 오른 리커창은 그냥 있을 수 없었다. 반격의 계기를 찾아야 했다. 기회는 2008년 3월 국무원 상무부총리에 임명됐을 때 찾아왔다. 그에게 주어진 첫 번째 임무는 국무원 대부제大部制 개혁이었다. 줄곧 차기 국가주석감으로 꼽혀오던 리커창은 성공적인 부처 개혁으로 시진핑에 밀린 권력 서열을 뒤집고 싶었다. 마침 제18대 당대회까지는 4년이 남아 있었다. 당시 중국 국무원행정부에는 28개 부처가 있었다. 미국의 15부, 일본의 12부, 프랑스의 18부에 비해 지나치게 부처가 많았다. 당연히 행정이 비효율적이라는 비판이 있었다. 리커창은 국무원 부처를 20개 안팎으로 축소해 행정의 효율성을 끌어올리려 했다. 하지만 관료집단의 반발과 정치세력 간 갈등에 밀려 부처 수는 종전 28개에서 27개로 단 한 개 순감하는데 그쳤다. 이때 다시 한번 리커창의 리더십에 대한 회의적인 시각이 확산된다. 그도 상실감이 컸다. 그래도 포기하지 않았다. 2009년 시작된 의료개혁을 성공시켜 손상된 리더십을 회복하고자 했다. 국무원은 16개 부처로 구성된 의료개혁 영도소조를 조직했고 리커창이 조장을 맡았다. 당시 리커창이 자신의 정치생명을 걸었다는 얘기까지 나왔다. 의료개혁은 공익성을 앞세워 대부분 국민이 의료혜택을 보게 하자는 취지로 시작됐다. 3년 내 8,500억 위안을 투자하는 기본의료보험 제도를 통해 성에서 향까지 모든 단위의 주민들이 혜택을 받게 할 계획이었다. 그러나 이 역시 초반의 의욕에 비해 내세울 만한 성과가 나오지 않았다. 의료 서비스는 확대됐지만 그 질은 향상되지 않아 불만이 많았다. 두 번의 도전과 실패는 엄청난 역효과를 불러왔다. 당시 관료사회에서는 "TV에서 리커창이 바삐 움직이는 것을 보지만 그가 무엇을 하는지 모르겠고 공문상에서 리커창의 지시를 보지만 그가 지향하는 게 무엇인지 모르겠다"라는 볼멘소리가 나왔다. 베이징 정가에서는 리커창 대신 시진핑의 측근인 왕치산 당시 부총리가 차기 총리에 올라설 것이라는 소문이 끝이지 않았다. 그가 정치국 상무위원으로 선임된 후 후진타오가 그의 능력에 실망했다는 얘기까지 나왔다. 물론 이 모든 비판과 우려를 넘어 그는 2013년 3월 총리에 올랐다. 후진타오를 핵심으로 하는 공청단의 절대적인 지지가 있어 가능한 일이었다. 국가주석직은 시진핑에 밀렸지만 그래도 그가 경제는 총괄할 것으로 모두 믿었다.

전통적으로 중국의 국무원 총리는 경제정책을 전담했다. 리커창 총리에게 주어진 가장 큰 숙제는 경제개혁이었다. 개혁개방 이후 30년 넘게 세계의 공장을 자처한 덕에 매년 10퍼센트가 넘는 고도성장을 달성했지만 2012년부터는 그런 성장 모델이 통하지 않았다. 실제로 리커창 총리가 취임한 2013년부터 중국 경제성장률은 7퍼센트 수준으로 주저앉았다. 그래서 나온 게 리커창 경제학, 즉 '리커노믹스'Likconomics였다. 단기적인 고통을 감수하더라도 중장기적인 안정 성장을 추구하겠다는 것이 정책의 골자다. 대규모 부양책 중단, 금융권 채무조정, 경제구조 개혁, 민생 안정을 위한 각종 조치들이 등장했다. 전임 원자바오 시대에는 정부가 재정적자를 감수하고 다양한 경기 부양책을 펼쳐 고도성장을 이어갔다. 예컨대 2008년 세계 금융 위기가 발생하자 중국 정부는 1,000만 채의 집을 짓고 차량 판매 촉진을 위해 소비자들에게 각종 보조금을 지급했다. 그러나 리커창은 경제성장률이 7퍼센트로 떨어져도 경기 부양보다는 경제구조 개혁에 집중했다. 중국 경제를 정부 주도에서 시장 주도로 바꿔 체질을 강화하기 위해서였다. 그러나 리커노믹스는 실행 1년도 안 돼 시진핑이 주도하는 '신창타이'新常態, new normal 경제 개혁으로 대체되는 수모를 당한다. 동시에 경제정책의 주도권도 국무원이 아닌 시진핑 총서기가 주도하는 당으로 넘어가게 된다.

당시 『인민일보』는 '신창타이'의 4대 특징으로 중고속 성장, 구조 변화, 성장동력 전환, 불확실성 증대를 제시했다. 중국 경제는 과거 연 10퍼센트 내외의 '고속 성장' 대신 연 7~8퍼센트 안팎의 '중고속 성장' 시대에 진입했고, 따라서 새로운 공급자기업 개혁을 시작해야 한다는 거였다. 물론 정부 주도의 개혁이었다. 이는 시장 주도의 개혁을 강조한 리커창의 지론과 정반대였다. 특히 시진핑이 당 주도의 경제정책과 관리를 강조하면서 모든 국유기업과 중, 대기업에 당 조직이 만들어졌다. 이와 같은 추세는 제19차 당대회 이후 더 거세지고 있다. 리커창의 시장 주도 경제 모델은 사라진 지 오래다.

리커창의 추락에는 정치적인 요인도 있다. 2012년 초 보시라이 전 충칭시 서기가 부인의 살인 사건을 계기로 낙마하자 당시 가장 막강한 권력을 휘두르던 저우융캉周永康, 1942~ 전 정치국 상무위원 겸 정법위 서기 세력의 발호가 시작된다. 이른바 중국 권력의 신 4인방의 출현이다. 신 4인방은 저우융캉 전 서기, 보시라이 전 서기, 쉬차이허우 전 당 중앙군사위 부주석, 링지화 전 당 중앙판공청 주임이다. 저우융캉 전 서기는 재임 시절 공안, 검찰, 법원, 무장경찰, 국가 안전부를 총괄해 정치국 상무위원 9명 가운데 가장 막강한 권력을 휘두르고 있었다. 이들은 보시라이의 실각이 가시화되자 2012년 3월 무장 경찰을 동원해 쿠데타를 도모했지만 사전 정보 누설 등으로 실패한다. 이때부터 시진핑은 반부패를 앞세워 신 4인방 세력의 숙청을 시작한다. 2012년 11월 당 총서기 취임 전에 시작된 4인방과의 전쟁은 시진핑의 일방적인 승리로 끝난다. 쉬차이허우는 조사 도중 2015년 3월 방광암이 악화돼 사망했다. 한데 생사를 건 권력투쟁 과정에서 리커창의 모습은 거의 보이지 않는다. 4인방과 그 추종 세력 수백 명을 제거하는 데 성공한 시진핑의 권력은 이미 당 총서기나 국가주석에 취임한 2013년 3월 당시의 수준이 아니었다. 군과 공안 등 무장 권력은 물론 당내 모든 핵심 인사가 시진핑에게 충성을 맹세했다.

시진핑이 목숨 걸고 장악한 권력을 리커창와 공유할 수는 없는

일이다. 총과 완력을 갖춘 시진핑, 머리와 순수함 그리고 스타일만
남은 리커창의 차이다. 리커창은 시진핑 2기 임기가 끝나는 2022년
중국 권력지도에서 조용히 사라질 것이다. 그에게 남은 유일한 역할
은 국무원을 무리 없이 이끌고 시대의 변화를 따라 각 부문 정책을
업그레이드하고 관리하며 시진핑이 주도하는 당의 통치 이념과 전
략을 홍보하고 제도화하는 고급 참모라 할 수 있다.

리커창 약력

• 1955년생, 고향은 안후이성 딩위안, 베이징 대학 법학과 졸업, 경제학 박사
• 1974~1978년: 안후이성 펑인(鳳陽)현 지식청년, 당지부 서기
• 1978~1983년: 베이징 대학 졸업, 베이징 대학 공청단 서기
• 1983~1998년: 공청단 중앙학교 부장, 공청단 서기, 공청단 제1서기
• 1998~2004년: 허난성 성장, 서기
• 2004~2007년: 랴오닝성 서기
• 2007~ : 정치국원 ,정치국 상무위원, 부총리, 총리

3 낭만 시인의 태감 권력

리잔수栗戰書 전인대 상무위원장

시진핑의 숨겨둔 남자

중국에 '황제보다 태감'太監, 환관의 수장이라는 말이 있다. 태감을 통해야 황제를 알현할 수 있었던 절대군주 시절 그들의 권력은 황제를 넘어서기까지 했다. 『삼국지』의 서곡을 알리는 후한 말 십상시十常侍, 10명의 환관의 권력 횡포가 그렇다. 시진핑에게 리잔수栗戰書, 1950~ 전인대 상무위원장은 바로 그런 인물이다. 리잔수가 시진핑의 권력을 넘었다는 얘기가 아니라 그의 권력이 황제의 분신이라는 태감에서 시작됐다는 뜻이다. 리진수는 제19차 당대회에서 국가 최고 지도부인 정치국 상무위원에 올랐다. 그것도 당서열 3위인 전인대 상무위원장이다. 시진핑 주석이 2018년 9월 북한 정권 70주년 기념식에 자신을 대신해 리잔수 위원장을 보낸 것은 이 같은 '분신 의식'의 발현일 것이다. 정치국 상무위원에 오르기 전 그는 시진핑 당 총서기의 비서실장인 당 중앙위원회 판공청 주임이었다. 당 중앙위원회 판공청 주임은 우리의 청와대 비서실장에 해당한다. 한데 여기에 직함 하나가 더 붙어 있다. 당 중앙판공청 주임은 당 총서기의 경호를 담당하는 중앙경위국까지 직간접적으로 관장한다. 비서실장 하나만으로도 대단한 권력인데 경호실장까지 겸했으니 그 권세는 두말하면 잔소리다. 그런 리잔수를 시진핑은 최고 지도부에 진입시켰다. 배경이 없을 리 없다.

2012년 7월 18일의 일이다. 중국공산당 내에 인사이동이 있었는데 구이저우성 당서기였던 리잔수가 당 중앙판공청 부주임으로 발령이 났다. 전혀 예상 밖이었다. 당시 베이징 외교가에서는 "도대체 리잔수가 누구냐" 하는 소리가 나왔다. 그 자리는 차기 총서기 비서실장, 즉 당 중앙위원회 판공청 주임으로 직행하는 자리였기 때문이다. 시진핑 국가부주석은 그해 11월에 열릴 제18차 당대회에서 당총서기로 선출될 예정이었다. 시진핑이 그를 콕 찍어 베이징으로 불러올린 게 틀림없었다. 그렇게 리잔수는 국제사회가 주목하는 인물이 됐다. 예상대로 같은 해 9월, 리잔수는 부주임에서 주임으로 승진한다. 중국공산당 역사에서 이렇게 짧은 기간 만에 당 중앙판공청 주임으로 승진하는 경우는 없었다. 이전에 원자바오 총리가 세운 기록인 1년 6개월이 가장 짧은 기간이었다. 그때도 원자바오 시대가 열렸다고 난리 법석을 떨었다. 당시 『중앙일보』 베이징 특파원이었던 나는 리잔수가 어떤 인물인지 궁금했다. 중국인 교수들에게 그에 대해 물었지만 자세한 설명은 들을 수 없었다. 대신 시진핑과 리잔수의 공직역정을 추적해보라는 말을 들었다. 조사해봤더니 시진핑과 리잔수는 모두 세 차례 인연을 맺었다. 리잔수는 그 인연을 국보처럼 아끼고 관리했다. 그리고 소리 없이 활용했다. 아니 시진핑에

" 이름 리잔수, '전쟁 통지서'
'선전 포고서'. "

전투 의지가 강한 혁명가 집안에서 태어난 리잔수

게 활용될 수 있도록 본인이 적극적으로 노력한 흔적이 역력했다.

시진핑과 맺은 세 번의 인연

리잔수는 허베이성 핑산平山현 출신이다. 그는 1983년 허베이 사범대학 야간반을 늦깎이로 졸업한 후 우지無極현 서기가 됐다. 그곳에서 평생의 동지가 될 시진핑과 처음 만나게 되는데, 바로 옆 정딩현 서기가 시진핑이었던 것이다. 미래 대권을 위해 당 중앙군사위 비서장의 비서 자리를 박차고 나와 밑바닥에서 현장 경험을 쌓기 위해 처음으로 현 서기를 맡은 시진핑과 리잔수는 말 그대로 '인민을 위해' 밤낮을 가리지 않고 뛰고 또 뛰었다. 둘은 당시 각종 회의에서 만나 현의 상황을 서로 공유하고 효율적인 행정을 위해 의견을 교환했다. 더욱 나은 대민 서비스를 위해 선의의 경쟁도 했다. 한번은 시진핑 서기가 미국 출장길에 올랐을 때의 일이다. 현 대표단 8명을 이끌고 미국 아이오와주의 시골 마을 머스카틴과 자매결연을 맺으러 가게 된 시진핑 서기는 출국 전 리잔수 서기를 찾아 미국에 대한 많은 조언을 듣는다. 시진핑보다 나이가 3살 많은 리잔수는 학구파인 데다 평소 세계 최강국 미국에 대한 책을 두루 섭렵한 터였다. 당시 둘은 털털한 시골 할아버지 같은 친근한 리더십으로 현민들에게 인기가 많았다. 첫 임지에서의 경험과 우정은 오래 남고 잊히지 않는 법이다. 첫 벼슬길이었던 현 서기 시절 둘은 코드가 맞아 마음이 통했고 미래의 천하 제패와 국가 부흥을 위해 무언의 결의를 했다.

두 번째 인연을 맺은 건 리잔수가 산시성으로 근무지를 옮기는 1998년의 일이다. 리잔수는 2002년까지 산시성의 주요 도시인 시

리잔수는 시안시 서기를 지낼 때
시진핑이 하방되었던 량자허 마을(위)과
생활했던 토굴을 보존하고 관리했다.

안西安시 서기를 지낸다. 산시성은 시진핑의 고향이자 부친인 시중쉰 전 부총리의 혁명무대였다. 시진핑이 문혁 당시 7년간 하방당해 토굴 속에서 벌레들과 함께 잠을 자며 야망을 키웠던 량자허 마을이 있는 곳이기도 하다. 리잔수는 시중쉰의 혁명무대와 시진핑의 하방현장을 보존하고 관리했다. 또한 현지에 살고 있는 시진핑의 먼 친척까지 주야로 돌봤다. 당시 푸젠성 대리성장으로 있었던 시진핑은 시간이 날 때마다 그에게 전화를 걸어 감사를 표했다고 한다.

세 번째 인연은 2011년 5월 맺게 되었다. 당시 시진핑 국가부주석이 3박 4일간 구이저우를 시찰했는데 당 서기였던 리잔수가 시진핑 국가부주석에게 구이저우성 개혁성과를 보고했다. 산세가 험악하고 외지인 구이저우가 창의적인 개혁으로 중국 내 수위의 경제성장을 일궈낸 내용을 들은 시진핑 국가부주석은 '이 사람이다' 하면서 무릎을 쳤다고 한다. 시진핑은 자신의 측근들을 환경이 열악한 지역으로 보내 리더십과 행정능력을 검증했는데 구이저우성이 대표적인 곳이었다. 시진핑의 후계자 후보 가운데 한 명으로 알려진 천민얼 충칭시 서기 역시 구이저우에서 자신의 능력을 검증받았다.

이름이 '전쟁 통지서'

시진핑과 맺은 세 번의 인연 그리고 그 인연을 실력과 믿음으로 꽃피운 노력과 순발력이 없었다면 리잔수에게 14억지상十四億之上의 정치국 상무위원 자리는 언감생심이었을 것이다. 물론 시진핑과의 인연만으로 그가 대륙 최고의 파워엘리트가 된 것은 아니다. 든든한 원군도 있었다. 그는 공산혁명가 집안 출신이다. 그의 이름 잔수戰書는 '전쟁 통지서' '선전 포고서'라는 뜻이다. 어린아이의 이름에까지 전쟁을 넣을 정도로 혁명과 전투 의지가 강한 집안이다. 작은 할아버지인 리자이원栗再溫, 1908~67은 산둥山東성 부성장을 지냈고, 항일운동과 국공내전에 참가한 리정통栗政通, 1923~49은 그의 숙부다. 숙부는 국공내전을 치르던 중 산시성에서 전사했다. 리잔수 몸에는 전투와 결기의 유전자가 흐를 수밖에 없다. 시진핑 역시 부친이 혁명가다. 시진핑과 리잔수의 의기투합은 이런 집안 배경까지 더해지면서 혈맹 관계로 진화했다. 또한 리잔수는 중국 권력의 양대 파벌인 공청단, 태자당과 관계가 원만하다. 그는 1986년에 허베이성 공청단 서기를 역임했기에 공청단으로 분류되기도 한다. 물론 시진핑이 중국의 대부분 권력을 장악한 마당에 공청단이 큰 의미는 없지만 여전히 존재하는 다른 권력 파벌과 원만한 관계를 유지하고 있다는 건 협치를 위해 반드시 필요한 조건이다.

리잔수의 또 다른 후견인은 국가부주석을 지낸 쩡칭훙이다. 쩡칭훙의 누이동생 쩡하이성曾海生, 1947~ 이 리잔수의 삼촌인 리장장栗江江과 초등학교 동창이다. 쩡칭훙은 장쩌민을 정점으로 하는 상하이 권력의 대부다. 이렇게 보면 시진핑이 리잔수를 선택한 것도 공청단, 상하이방, 태자당을 모두 아울러 권력을 장악하고 그 과정에 있을 수 있는 불화를 막기 위한 최선의 포석이라고 할 수 있다.

낭만의 힘

리잔수를 설명하는 데 그의 인문학적 장점도 빼놓을 수 없다. 그는 시인이다. "대장부 말고삐를 잡고 집 떠나 만 리요/지사가 시를 읊으니 눈물이 천 길이네/하룻밤 가을바람이 소나무와 강물 위 달을 스치고/두세 개 등불에 고향을 생각하네"兒男縱馬家萬里, 志士吟詩淚千

行, 一夜秋風松江月, 兩三燈火是故鄉. 그가 2004년 중추절에 지은 「강변에서 고향을 생각하네」江畔思鄉라는 시다. 중국 정계 인사들은 그의 시를 듣고 이태백의 낭만과 조조의 기개를 느낀다고 한다. 일반적인 지도자들에게서 찾기 힘든 인문의 힘이 있다는 얘기다. 낭만이 권력과 조화를 이루면 정치의 예술을 창출한다고 했다. 물론 독선으로 흐르면 광기를 부리며 폭주할 가능성도 크다. 리잔수의 시적 낭만이 시진핑을 도와 어떤 정치를 만들어낼지 지켜볼 일이다.

리잔수 약력

- 1950년생, 고향은 허베이성 핑산(平山)현, 허베이성 사범대학 야간반 졸업, 공상관리학 (경영학 석사)
- 1971~1983년: 허베이성 스자좡(石家庄)시 상업국 판공실 부주임, 지역위원회 과장
- 1983~1986년: 허베이성 우지현 서기, 스자좡시 지역위 부서기
- 1986~1998년: 공청단 허베이 서기, 허베이성 비서장, 허베이 상무위원
- 1998~2003년: 산시성 조직부장, 시안시 서기
- 2003~2010년: 헤이룽장성 부서기, 대리성장, 성장
- 2010~2012년: 구이저우성 서기
- 2012~2017년: 당 중앙판공청 주임, 정치국원, 중앙서기처 서기
- 2017~ : 정치국 상무위원, 중앙 국가안전위원회 판공실 주임(비서실장)
- 2018~ : 전인대 상무위원장

4 　 개혁의 아이콘

왕양汪洋 중국인민정치협상회의 주석

10년 앞선 경제 전략

2008년 9월의 일이다. 당시 『중앙일보』 홍콩 특파원이었던 내게 메일이 왔다. 광둥성 서기인 왕양汪洋, 1955~ 이 홍콩에 주재하는 외국 특파원들을 초청해 간담회를 열고 싶다는 내용이었다. 당시 왕양은 차세대 중국을 이끌 리더 가운데 한 명으로 회자되고 있어 관심이 큰 참이었다. 왕양은 현재 중국 최고 지도부인 당 정치국 상무위원 겸 정협 주석이다.

며칠 후 홍콩 주재 외신 기자 20여 명이 광저우廣州에 있는 성 정부 회의실로 집결했다. 왕양 서기와 성 정부 관리들이 자리를 잡고 간담회가 시작됐다. 왕양은 인사말을 통해 중국에서 가장 부유한 성인 광둥의 경제정책을 조목조목 설명했다. 말은 빨랐고 눈매는 매서웠다. 성격이 좀 급해 보였다. 당시 그는 '등롱환조'騰籠換鳥의 기치 아래 광둥 경제의 체질을 개선하고 성장을 이끌고 있었다. '등롱환조'

는 '새장을 들어 새를 바꾼다'는 뜻으로 재래 산업은 외곽으로 밀어내고 고부가가치 산업을 집중적으로 육성하겠다는 경제 전략을 의미한다. 현재 시진핑이 주도하는 신창타이 경제 전략을 그는 10여 년 전에 부르짖었던 셈이다.

중국 엘리트가 생각하는 민주주의

그의 설명이 끝나고 질의응답 시간이 됐다. 먼저 영국 『파이낸셜타임스』 기자가 물었다.

기자 중국 경제가 무섭게 성장한다는 것 알고 있다. 그런데 정치 민주화는 언제쯤 이뤄지나.

왕양 민주화의 개념이 뭔가. 중국도 민주주의 한다.

기자 삼권분립이 안 돼 있다.

왕양 삼권분립이 곧 민주주의는 아니다. 우리는 중국식으로 인민의 의견을 수렴한다.

기자 …….

왕양 당신이 얘기하는 민주서구식가 얼마나 국가 발전을 방해하고 비효율적인지 아는가.

기자 무슨 얘긴가.

왕양 서구 민주주의 한다는 아시아 몇몇 국가를 보라. 날마다 거리에서 시위하고 공공건물 점령한다. 매일 시위하는 나라가 무슨 민주주의인가.

도둑이 제 발 저린다고 했던가. 한국을 언급하지는 않았지만 한

" 서구 민주주의 한다는 아시아
몇몇 국가를 보라. 날마다
거리에서 시위하고 공공건물
점령한다. 매일 시위하는
나라가 무슨 민주주의인가. **"**

시위를 '표현의 자유'가 아닌 '통치 효율성의 저해요인'으로 보는 왕양국을 염두에 둔 발언 같았다. 그래서 내가 직접 손을 들고 질문을 던졌다.

> **기자** 방금 얘기한 몇몇 국가 가운데 하나는 한국을 말하는 것 아닌가. 한국은 그런 시위를 통해 오늘날의 민주주의 국가를 만들었다. 시위는 국민의 의사 표현으로 국가 발전의 장애가 아니라 추동력이라 생각한다. 특히 민주주의를 위해서는…….
>
> **왕양** 한국 기자인가. 오해 말라. 난 통제 없는 서구 민주주의의 폐해를 말했을 뿐이다.

서구 민주주의를 보는 왕양, 즉 중국 지도부의 시각이 이보다 더 적나라하게 드러난 경우는 없다. 그는 시위를 '표현의 자유'가 아닌 '통치의 효율성' 차원에서 보고 있었다. 14억 인구, 거대한 국토, 56개 다민족, 사회주의 체제 등을 고려해도 민주주의와 자유에 대한 그의 인식이 중국식 사유의 테두리 안에 갇혀 있다는 생각을 지울 수 없었다. 중국에서 서구식 의회주의, 다당주의, 직접선거를 기대하기는 어렵겠다고 생각했다. 물론 이건 어디까지나 한국 기자의 시각이었다. 왕양은 중국에서 최고의 엘리트, 최고의 국가 경영자다. 중국식 사회주의에 충실하고 당성黨性과 충성심, 국가관이 투철하다고 평가받는다. 이런 사회주의 정치관 덕에 그는 2012년 광둥성 서기를 마치고 정치국원 겸 국무원 부총리에 올랐으며 2017년 10월 열린 제19차 당대회에서 14억 인구의 최고 지도부, 당 정치국 상무위원에 등극한다. 물론 그가 최고 지도부에 오른 이유를 당에 대한 충성심만으로 설명하기에는 부족하다. 당에 대한 충성심 없이

남순강화 중인 덩샤오핑(가운데).
왕양은 남순강화 중이던 덩샤오핑을 안후이성에서 접견한다.
덩샤오핑은 근대 중국의 굴욕까지 거론하며
개혁개방의 당위성에 대해 설명한 왕양에 감동했고,
베이징으로 돌아와 그를 양성하라고 지시한다.

중국 지도부에 오른 인물은 없기 때문이다.

혁신의 아이콘

왕양의 출세 비결을 알려면 시간을 1992년으로 돌려야 한다. 당시 왕양은 안후이성 퉁링銅陵시 시장이었다. 마침 남순강화 중이던 덩샤오핑이 베이징으로 돌아가는 길에 퉁링 근방을 지난다. 남순강화는 덩샤오핑이 1992년 1월부터 2월까지 상하이, 선전 등 남방도시를 순회하며 개혁개방을 촉구한 일련의 연설이다. 그는 안후이성 벙부蚌埠역에서 왕양을 접견했다. 당시 왕양은 행정개혁으로 당의 주목을 받던 젊은 시장이었다. 덩샤오핑이 37세의 왕양에게 개혁개방에 대해 물었다. 왕양은 근대 중국의 굴욕까지 거론하며 개혁개방의 당위성을 설명했다. 덩샤오핑은 왕양의 답변에 감동했다. 그리고 베이징으로 돌아와 주룽지朱鎔基, 1928~ 당시 총리에게 "안후이성의 젊은 왕양은 사상이 있다. 양성하면 좋겠다"라고 지시했다. 그리고 이듬해 왕양은 38세의 나이로 안후이성 부성장으로 고속 승진한다. 전국에서 가장 젊은 부성장이었다. 그가 지금까지 '혁신'과 '개혁'의 아이콘으로 군림하는 배경이다.

공장에서 책 읽다

왕양은 안후이성 쑤저우宿州가 고향이다. 어릴 적 집이 너무 가난했다. 아버지는 노동자였고 어머니는 초등학교 선생님이었다. 설상가상으로 아버지의 건강이 좋지 않아 어머니가 홀로 생계를 꾸렸다. 왕양은 어머니를 돕기 위해 8세부터 짐수레를 밀며 돈을 벌어야 했다. 개천에서 용 나던 시절이었고 왕양은 공부를 잘했다. 소학

교와 중학교 성적은 전교 1, 2위를 다퉜다. 왕양이 중학교를 졸업하던 해 아버지는 결국 병으로 사망했다. 그때 왕양의 나이는 17세였다. 생활은 더 궁핍해졌고 하루 세 끼 먹기도 벅찼다. 왕양은 고등학교 진학을 포기할 수밖에 없었다. 가정을 부양하기 위해 쑤현宿縣의 한 식품공장에 노동자로 취직했다. 문혁의 광풍이 몰아치던 1972년 6월이었다. 직장에서 왕양은 부지런했고 영리했다. 일을 빨리 배웠고 사람들과 척지지 않았다. 리더십도 탁월해 취업한 지 얼마 안 돼 생산소조의 조장을 거쳐 직장 주임으로 발탁됐다. 남들이라면 마냥 좋아했을 테지만 왕양은 가난해서 공부를 못 한 게 항상 한이었다. 그는 공장에서 주경야독했다. 주변에 있는 책을 닥치는 대로 읽었다. 역사, 문학, 경제, 과학기술 등 분야를 가리지 않고 섭렵했다. 그는 독서 덕에 '사상이 확실하고 지식을 갖춘 공산당 간부'로 성장했고 1976년 쑤현의 57간부학교마오쩌둥의 '5·7지시'에 따라 문혁기에 각지에 설립된 간부 재교육학교의 교원이 된다. 이후 교원 연구실 부주임, 학교 당위원회 위원 등 3년 동안 초고속 승진을 거듭한다.

57간부학교는 인생의 전환점이었다. 평생의 반려자이자 후원자인 주화광祝華光을 만났기 때문이다. 주화광은 당시 왕양의 동료였던 주화성祝華生의 누이였다. 성실하고 똑똑한 왕양을 놓치기 싫어 동생을 소개했다고 한다. 주화광의 집안이 대단하진 않았지만 왕양에게는 여러 가지로 도움이 됐다. 주화광의 아버지 주젠위안祝建遠은 문혁 전에 현급의 중층 간부인 쑤현의 부주임이었다. 문혁이 끝난 후 왕양은 주화광의 아버지가 구입한 책들을 빌려 읽었다. 왕양의 총명함, 근면함, 인품을 높이 산 주젠위안은 딸과 왕양의 결혼을 승낙했다. 1981년 왕양은 쑤현 공청단 부서기에 취임했고 둘은 결혼했다.

그때 왕양의 나이 26세였다. 결혼 후 두 사람은 딸을 낳았다. 딸은 베이징 대학을 나와 미국 컬럼비아 대학에서 박사학위를 받았다.

잠에서 깨라, 퉁링

왕양의 공직생활과 리더십 형성은 안후이를 떠나 말할 수 없다. 왕양은 식품공장 공원으로 취직한 1972년부터 27년간 안후이성의 곳곳을 누비며 행정 경험을 익히고 자신을 담금질한다. 왕양이 안후이성 공청단 부서기에 취임했던 1983년은 인생의 귀인들을 두루 만난 최고의 해였다. 후진타오가 공청단 중앙위원회 서기처 상무서기를 맡고 있었는데 업무 관계로 자연스럽게 교류할 수 있었다. 그뿐만 아니라 왕자오궈王兆國, 1941~ 전 전인대 부위원장, 리위안차오 전국가 부주석, 리커창 총리, 류윈둥劉延東, 1945~ 전 국무위원 등과 인연을 맺는다. 모두 공청단의 핵심 리더들이었다. 왕양이 공청단으로 분류되는 이유이기도 하다. 덩샤오핑의 관심을 받았던 퉁링시 서기 시절 그는 혁신과 개혁을 하는 게 무엇인지 확실하게 과시한다. 당시 구리광산에만 의지하던 퉁링시는 먹고사는 데만 급급해 변화를 싫어했다. 국가가 추진하는 개혁개방은 안중에도 없었다. 그는 문제의 핵심을 고정관념에 얽매인 공무원의 사고에서 찾았다. 그리고 지역신문인 『퉁링일보』에 「잠에서 깨라, 퉁링」이라는 글을 기고했다. 왕양은 주민과 공직자들이 봉건적 사고에 안주해 개혁개방에 소극적이고 그 결과 경제가 후퇴하고 있다고 비판했다. 경제건설 관념 부족, 상품경제 관념 부족, 정신적인 나태, 개혁에 대한 의지 부재, 대외개방 관념 부족을 문제점으로 지적했다. 글은 곧바로 외부로 알려졌고 중앙 언론에서도 왕양의 글을 소개하기에 이른다. 당시 『베이징경제일보』는「잠에서 깨야 하는 것은 퉁링만이 아니다」라는 특집을 기획해 전국적인 의식 개혁을 주도하고 나섰다. 그렇게 왕양은 한 걸음씩 개혁과 혁신의 아이콘으로 성장해갔다.

왕양의 기고가 전국적으로 화제가 되자 퉁링시 공무원들도 움직이기 시작했다. 왕양은 곧바로 퉁링시 당위원회 간부들을 데리고 당시 개혁개방의 선두를 달리고 있던 상하이시, 장쑤江蘇성, 저장성 시찰에 나선다. 동시에 퉁링에 자본을 유치해 구리를 중심으로 하는 비철금속공업 단지를 만들며 경제발전에 박차를 가한다. 그 결과 퉁링은 안후이성 북부 도시 가운데 유일하게 지역총생산이 매년 12퍼센트 전후로 증가한다. 성에서 성장률이 가장 빠른 도시였다. 퉁링의 혁신으로 그는 안후이성 부성장1998~99년으로 올라간다. 그리고 1999년에는 국가발전계획위원회 부주임으로 발탁되면서 중앙 권력에 성큼 다가선다. 당시 그는 '제11차 5개년 계획' 마련에 참여한 가장 젊은 부주임이었다. 원자바오는 부문별 협력을 유도하면서도 판단이 빠르고 과감하게 실행에 옮기는 왕양의 능력을 높이 샀다. 그리고 2003년 왕양을 국무원 부비서장에 발탁한다. 이어 왕양은 국무원 비서장을 거쳐 2005년 12월 영도자 반열인 정치국원에 오르고 중국 최대 도시인 충칭시 서기직을 거머쥔다. 2007년에는 중국의 최고 부자 성인 광둥성 서기에 오른다. 중국은 정치국원이 4대 직할시 서기와 광둥성 서기를 맡는 게 관례다. 그만큼 정치적·경제적으로 중요한 지역이기 때문이다. 왕양은 대부분 공직자가 한 번 맡기도 힘든 이들 지역을 두 번이나 맡았다. 그것도 배경보다는 스스로의 능력으로 일궈냈다.

파이를 더 키워야 한다

덩샤오핑에 이어 후진타오도 오늘의 그를 만든 은인이자 후원자다. 덩샤오핑의 뜻을 받들고 공청단과 깊은 인연을 맺으며 능력까지 출중한 왕양이었다. 왕양은 성장과 분배의 균형을 강조하면서도 성장 쪽에 비중을 더 뒀다. 근저에는 덩샤오핑의 선부론先富論, 능력 있는 사람이 먼저 부유해지는 것이 자리 잡고 있다. 먼저 경제 파이를 키워야 국가경제가 발전하고 효율적인 분배도 가능하다는 거였다. 여기에 시진핑이 강조하는 공급 측 개혁기업 개혁을 강조한다. 광둥성 서기 시절 그는 보시라이薄熙來, 1949~ 당시 충칭시 서기와 치열한 논쟁을 벌였다. 당시 보시라이는 성장보다 분배를 우선하는 정책을 펴고 있었다. 보시라이는 "중국의 개혁개방 과정에서 소외된 계층을 위해 경제성장의 과실을 잘 분배할 때"라며 공공임대주택 건설, 호적 개혁 등 빈곤층의 생활 개선을 위한 정책을 폈다. 그가 신좌파의 기수로 각광받았던 이유다. 반면 왕양은 "파이를 더 키워야 한다"며 시장경제를 중시하는 당내 개혁파를 대변했다. 팽팽하던 둘의 논쟁은 2012년 보시라이가 부인의 살인 사건을 계기로 낙마하면서 막을 내렸고 보시라이의 공부론共富論은 빛을 잃었다. 그러나 시진핑 취임 이후 "빈곤 퇴출과 민생 개선을 앞세운 '공동부유'를 당의 중요한 사명"이라고 규정하면서 지금은 공부론과 선부론이 조화를 이루고 있다.

왕양은 지한파이기도 하다. 지금까지 수십 명의 한국 기업인을 만나 투자를 유치했을 뿐만 아니라 한국 기업에 배우고 싶다는 의사를 피력했다. 2015년 1월에는 '중국 방문의 해' 행사 참석 차 서울을 방문, 한국과 중국의 인문 교류를 강조하기도 했다. 그러나 그의 한국에 대한 인식은 어디까지나 중국의 이익을 전제로 하고 있다. 사드 갈등이 불거지자 한국 기업에 대한 제재를 가장 먼저 그리고 가장 집요하게 주장했던 지도자가 왕양 정치국 상무위원이었던 것으로 알려져 있다. 한국을 아는 만큼 한국의 약점을 최대한 활용하겠다는 얘기다. 그의 정치국 상무위원 진입이 한국 경제에 꼭 득이라고 말하기 어려운 이유다.

왕양 약력

• 1955년생, 고향은 안후이성 쑤저우시, 중앙당교 대학 졸업, 중국 과학기술대학 공학 석사
• 1972~1979년: 안후이성 쑤현 식품공장 공원, 연구부 부주임
• 1979~1981년: 중앙당교 정치경제학 수학, 안후이성 쑤현 지구당 교원
• 1981~1984년: 공청단 안후이성 쑤현 부서기, 당 중앙선전부장, 공청단 안후이성 부서기
• 1984~1992년: 안후이성 체육위 부주임, 주임, 퉁링시 시장
• 1992~1999년: 안후이성 성장 조리(助理), 부성장, 부서기
• 1999~2005년: 국가발전계획위원회 부주임, 국무원 비서장
• 2005~2007년: 충칭시 서기, 정치국원
• 2007~2013년: 충칭시 서기, 광둥성 서기, 정치국원
• 2013~2017년: 정치국원, 부총리
• 2017~ : 정치국 상무위원
• 2018~ : 정협 주석

5 　권력의 제갈량
왕후닝王滬寧 중앙정책연구실 주임

국가주석 세 명을 보좌한 단 한명의 책사

　왕후닝은王滬寧, 1955~ 중국공산당 정치국 상무위원이자 당 중앙
정책연구실 주임이다. 당 중앙서기처 서기이기도 하다. 시진핑을 움
직이는 단 한 명의 책사를 꼽으라면 어김없이 오르내리는 인물이
다. '현대판 제갈량'이라는 경외적 표현으로도 뭔가 부족한데, 최
근 20년 중국 현대 정치의 통치철학을 지배한 인물이기 때문이다.
그를 알려면 그의 물음인 "누가 진정한 정치인인가"에서 시작할 필
요가 있다. 이는 1995년에 자신이 저술한 『정치적 인생』에서 스스
로 물었던 질문이다. 그는 "죽음도 굴복시키지 못하는 신념, 동서양
을 넘나드는 학식, 모두가 우러러보는 인격, 멀리 저 멀리 보는 시야,
불굴의 의지, 모든 시냇물을 포용하는 도량, 대세를 읽는 혜안"이라
고 자답自答한다. 왕후닝은 이런 정치인을 찾아 자신의 야망과 중화
부흥을 이루겠다고 다짐했을 것이다. 그리고 실제로 중국 현대사의

최고 책사로, 최고 권력으로 진화했다. 장쩌민, 후진타오, 시진핑 등 3명의 국가주석을 보좌하고 그들의 국내외 책략을 완성시킨 국사國師가 된 것이다.

왕후닝은 참 신기한 인물이다. 학자에서 은둔의 책사로 그리고 최고 권력에 오른 전례 없는 이력을 지녔다. 그의 벼슬길은 1990년대로 거슬러 올라간다. 상하이시 당서기1991~94를 했던 우방궈 전 전인대 상무위원장이 어느 날 한 포럼에서 왕후닝의 정세 분석을 듣고 "바로 이 사람!" 하며 무릎을 쳤다고 한다. 당시 왕후닝은 상하이시에 있는 푸단 대학 국제정치학과 교수로 있었다. 덩샤오핑의 개혁개방 이후 경제성장 전략과 프로젝트가 넘쳐나던 시절, 그는 중국의 천하 전략, 즉 세계전략을 고민해야 한다고 호소했다. 그는 개혁개방이 뿌리내리기 전부터 이미 시진핑의 꿈인 중화부흥을 마음에 담고 있었다. 그만큼 시대를 앞서갔고 예지와 혜안을 갖추고 있었다.

당시 왕후닝이 지녔던 서방관은 이랬다. 왕후닝은 30대에 푸단 대학 교수가 된 후 서방 정치사상 연구를 위해 미국을 두 차례 방문했다. 훗날 그는 당시 그의 사유를 『미국이 미국을 반대한다』美國反對美國라는 책 속에 정리했다. 미국이 직면한 수많은 문제를 현장에서 보고 중국의 미래 모델이 미국이어서는 안 된다는 결론을 내린 책이다. 그는 미국식 민주주의를 중국에 도입하면 사회혼란이 가중되고 국가발전은 지연될 수 있다고 우려했다. 그리고 공산당 중심의 중앙집권체제 강화만이 국가안정과 효율적인 경제발전을 담보할 것이라는 결론에 도달한다. 왕후닝의 '신新권위주의'는 이렇게 탄생하고 이 논리는 장쩌민과 후진타오를 거쳐 1인 지배체제를 구축한 시진핑에 와서 만개한다. 시진핑은 왕후닝이 1980년대에 그렸던

" 노동자 농민이 공산당을
지배하던 시대는 이미
지났다. 자본가와
기업가들을 공산당원에
가입시켜야 한다. "

'3개 대표론'을 설계한 왕후닝

신권위주의의 국내화는 물론 이를 기반으로 한 중화부흥을 위해 그를 정치국 상무위원으로 끌어들였을 것이다.

공산당을 개방한 개혁가

왕후닝은 논리와 언변이 뛰어난 사람이다. 대학원에서 법학 사상을 공부한 덕이다. 한번은 그가 제자들과 함께 싱가포르에서 열린 논쟁 대회에 참석해 타이완 대표를 5:0으로 누르고 우승했다. 주제는 성선설과 성악설이었다. 왕후닝의 학생들은 성악설을 논증했는데 그 논리가 너무나 완벽해 당시 대부분 심사위원이 인간의 본성이 그렇게 악했던가 하고 반문했다고 한다. 그는 대회 참가 전 학생들을 밤낮으로 혹독하게 훈련시켰다. 교단에는 항상 회초리 하나가 있었다. 물론 학생들을 때리지는 않았다. 대신 그 회초리는 학생들 스스로의 극기를 유도하는 자극제가 됐다. 왕후닝 개인도 자기 관리에 엄격했다. 공직에 발을 들여놓은 후에는 공사를 엄격히 구분해 어떤 사적인 부탁도 들어준 적이 없었다고 한다. 친구들까지 사적으로 만나지 않았다. 2015년 미국 국무부가 시진핑을 위해 마련한 오찬에 참석한 왕후닝은 이전부터 잘 알고 지내던 케네스 리버살 Kenneth Lieberthal, 1943~ 당시 미국 국가안전위원회 중국 담당을 만났다. 리버살이 반가워하며 "중국에서 한번 사적으로 만나자"라고 하자 "내가 중앙에서 일을 해 만나기 어렵다"라고 잘라 말했다.

이런 왕후닝을 우방궈 전인대 상무위원장은 시간이 나는 대로 만나 사사했다. 그리고 1995년 장쩌민 당시 국가주석에게 왕후닝을 적극적으로 천거한다. 그에 앞서 상하이시 부서기를 했던 쩡칭훙 전 국가부주석 역시 왕후닝의 정세와 시대분석 능력에 감동해 그를 강

왕후닝은 대학교수 시절 집필한 『정치적 인생』에서
"누가 진정한 정치인인가?"라고 자문한다.
그는 죽음도 굴복시키지 못하는 신념,
동서양을 넘나드는 학식, 모두가 우러러보는 인격, 멀리 저 멀리 보는 시야,
불굴의 의지, 모든 시냇물을 포용하는 도량,
대세를 읽는 혜안이라고 자답했다.

력히 추천했다. 쩡칭훙은 상하이시에서 근무할 적에 왕후닝과 당면한 정치개혁 문제를 놓고 토론을 벌인 적이 있었다. 당시 왕후닝은 중국이 개혁과 중화굴기를 효율적으로 추진하기 위해서는 권력을 중앙으로 집중시켜야 한다고 주장하고 그 이유를 역사적 실례를 조목조목 들어가며 설명했다. '신권위주의'의 시대적 당위성을 설파했던 것이다. 우방궈와 쩡칭훙의 천거를 받은 왕후닝은 1995년 4월 당 중앙정책연구실 정치팀 팀장組長으로 중앙무대에 진출한다. 제갈량이 유비의 삼고초려 후에 출사했다면 왕후닝은 자의 반 타의 반으로 권력의 길에 올랐다고 할 수 있다.

중앙무대 진출 후 그는 공산당 개혁의 필요성을 역설한다. 장쩌민은 그에게 공산당이 가야 할 길을 물었고 그는 이렇게 답한다. "노동자 농민이 공산당을 지배하던 시대는 이미 지났다. 자본가와 기업가들을 공산당원에 가입시키지 않으면 당의 미래 리더십은 지속 가능하지 않고 경제발전도 한계에 부딪칠 것이다" 그렇게 나온 게 자본가에게 당원 자격을 부여한 '3개 대표론'이다. 노동자, 농민 등 프롤레타리아무산계급 중심의 공산당에 부르주아유산계급 진입을 허용하자는 것이 이 이론의 핵심이다. 왕후닝은 경제전쟁 시대인 오늘날 기업인들의 혜안과 지혜를 받아들이지 않고는 국가 발전과 경쟁력 강화 그리고 공산당의 지속적인 일당독재가 불가능하다고 판단했다. 따지고 보면 오늘날 중국 경제가 G2 반열에 오른 것은 덩샤오핑의 개혁개방과 함께 그 근저에 '3개 대표론'이 있었기 때문이라고 할 수 있다. 덩샤오핑이 국가경제를 개혁개방했다면 왕후닝은 공산당을 개혁개방한 셈이다. 훗날 왕후닝의 진가를 알아본 장쩌민은 "내가 당신을 등용하지 않았으면 크게 후회할 뻔했다. 특히 상하이 사람들에게 귀찮은 소리를 들을 뻔했다"며 속내를 털어놓았다.

　제갈량이라는 소리를 듣는 그가 이 정도에서 끝낼 리 없다. 왕후닝은 장쩌민의 권력을 넘겨받은 후진타오에게 '과학적 발전관'이라는 통치관을 제시한다. 지속 가능한 경제성장을 위해서는 무턱대고 발전만 하기보다 인본 위주로 균형 있게 발전해야 한다는 통치철학이었다. 당시 중국은 고속 성장으로 인한 부정부패와 빈부격차가 도를 넘고 있었다. 당연히 인민의 불만은 높았고 사회는 불안했다. 각종 시위가 끊이지 않고 일어나 매년 10만 건을 넘었다. 개혁개방의 부작용을 치유하지 않고는 공산당 독재 자체가 위험하다는 우려가 곳곳에서 터져나왔다. 왕후닝은 이런 시대적 위기를 극복하면서 동시에 성장을 지속할 수 있는 방안으로 '과학적 발전관'을 찾아냈다. 그리고 후진타오 집권 10년 동안 중국은 '허셰'和諧, 즉 사회 각계각층의 공존과 조화로운 발전을 추구한다. 성장과 분배가 함께 이뤄지는 균형발전을 추구한 것이다.

　그는 계속해서 시진핑을 도와 중국의 꿈, 즉 중화부흥의 논리와 전략을 완성한다. 19세기 말 아시아 병자의 치욕에서 벗어나 강한 성당強漢盛唐 시대를 열겠다는 시진핑의 야망을 충족시켜야 했다. 시대도 중국 편이었다. 세계 2위의 경제력을 바탕으로 군사력을 키운 중국은 갈수록 주변국을 위협했다. 중국 위협론은 이론이 아니라 현실이 됐다. 그래서 나온 게 일대일로라는 세계전략이다. 고대 육상·해상 실크로드를 따라 중국의 경제와 문화 영향력을 확산하고 소리 없이 대양해군의 꿈을 이루겠다는 게 이 전략의 핵심이다. 이미 세계 각국이 중국의 의도를 뻔히 알면서도 속속 참여를 선언하고 있다. 중국과 척지고는 경제적으로 버티기가 쉽지 않기 때문이다.

사실 이 전략의 창안자는 왕후닝이 아니라 시진핑이다. 왕후닝은 시진핑을 도와 큰 밑그림을 완성했을 뿐이다. 실제로 시진핑은 2015년 말 외국 주요 인사들과 만난 모임에서 일대일로 전략을 자신이 직접 고민하고 연구해 창안했다고 털어놓았다. '3개 대표론'과 '과학적 발전관'이 국내전략이라면 일대일로는 국내외를 아우르는 시진핑의 세계전략이라는 차이가 있다. 그만큼 시진핑 시대 중국의 모든 정책을 관통하는 핵심 전략이다. 이처럼 왕후닝이 혼자서 모든 전략을 완성한 것은 아니다. 그가 주임으로 있는 당 중앙정책연구실은 정치, 경제, 철학, 문화, 국제, 농촌, 사회 문제와 당의 건설 및 유지를 연구하는 아홉 개의 국局 조직을 갖추고 있다. 그리고 산하에는 박사급 인재 수백 명이 포진하고 있다. 이 거대 두뇌사단의 선두에서 당과 국가 발전을 위한 책략을 그리는 인물이 바로 왕후닝이다.

살아 있는 정치학 사전

왕후닝은 어떤 사람인가. 그는 한국전쟁 종전 2년 후인 1955년에 산둥성 라이저우萊州에서 태어났다. 중학교에 진학할 무렵 문혁이 터졌고 학교는 문을 닫았다. 거리는 홍위병들이 벌이는 광란의 집회로 넘쳐났다. 그러나 그는 집회를 멀리하고 집에서 책만 읽었다. 어릴 적 그는 남 앞에 나서는 것보다 혼자 조용하게 생각하는 것을 좋아하는 내성적인 아이였다. 훗날 그는 "당시 독서를 하며 국가와 민족이 무엇 때문에 이 지경이 됐는지, 국가 발전을 위해서는 어떤 제도가 가장 이상적인지 등에 대해 고민했다"라고 토로했다. 왕후닝은 17세에 상하이 사범대학을 다닌 뒤 베이징 대학, 칭화淸華 대학과 함께 중국 3대 명문대학으로 꼽히는 상하이 푸단 대학 국제정치학과 대학원에서 학위과정을 마치고 교수가 됐다. 1988년부터 2년간은 미국 아이오와 대학과 캘리포니아 대학 버클리 분교에서 방문연구원으로 있으며 미국을 경험하기도 했다. 귀국 후 그는 푸단 대학 국제정치학과 주임교수, 법학원 원장으로 일했다.

그는 독서광이다. 그가 지닌 내공의 원동력이기도 하다. 한번은 중학교 시절을 회고하며 이렇게 말했다. "당시 주변에 좋은 책이 별로 없었다. 그러나 독서 과정에서 두 가지를 배웠다. 하나는 사물을 분석하고 사고하는 방법이고 또 다른 하는 책을 읽는 습관이다. 나는 책 읽을 때가 가장 즐겁다." 중학교 시절부터 범인은 아니었던 게 분명하다. 그는 속독으로 유명한데 한눈에 열 줄씩 읽는다一目十行고 한다. 남이 2~3일에 한 권 읽을 때 그는 하루에 세 권을 본다. 하루는 "매일 책만 보는 게 재미있냐"라고 묻는 친구에게 그는 "스님이 왜 매일 불경을 외는 줄 아냐"라고 대꾸했다고 한다. 독서가 거의 도의 경지에 들었다는 뜻이다. 독서 덕에 그는 '살아 있는 정치학 사전'이라는 별명을 얻었고 29세의 나이에 푸단 대학 부교수로 승진할 수 있었다. 그리고 제왕이 세 번 바뀌는 동안에도 굳건히 스승帝師 자리를 지킬 수 있었다.

두 번의 이혼, 세 번의 결혼

사회적으로 승승장구한 왕후님도 부부생활은 고달팠다. 그의 첫 부인은 푸단 대학에서 만난 동갑내기 친구 저우치周琪였다. 동급생과의 사랑同學戀이었다. 둘 다 공붓벌레였다. 도서관이 밀회의 장소였고 서로 독서하고 토론하는 게 연애였다. 결혼해서도 서로의 공부를 위해 아이를 낳지 말자고 합의했다. 그리고 자신들의 공부를 위해 헤어졌다. 저우치의 아버지는 국가안전부 상하이 지국의 핵심인사였다. 왕후닝의 이론을 공산당에 자주 보고한 인물이다. 왕후닝의 논문은 당시 정치가들의 구미에 딱 맞는 혁신적인 내용이 많았다. 왕후닝이 베이징에 입성하는 데 장인의 도움이 적지 않았다. 장인은 이들의 파경을 막으려 했지만 역부족이었다. 둘은 공부에 대한 열정과 개성이 너무 강했다. 두 번째 부인은 왕후닝의 푸단 대학 제자로 열두 살 어린 샤오쟈링蕭佳靈이었다. 스승과 제자 간의 사랑師生戀이다. 그러나 결혼 후 왕후닝은 중앙정치인으로 출세가도를 달렸고 샤오쟈링은 상하이에 남아 학업을 계속하면서 둘 사이는 급격히 소원해졌다. 그리고 헤어졌다. 왕후닝이 베이징으로 갈 때 왜 샤오쟈링이 동행하지 않았는지 의문이다. 세 번째 부인은 왕후닝보다 서른 살이나 어린 미모의 여성이다. 비밀리에 결혼했는데 이름조차 알려져 있지 않다. 세대를 뛰어넘은 사랑世代戀이다. 세 번의 결혼, 일반적으로는 불행이라고 말한다. 그러나 어떤 이는 그 또한 능력이 아니겠느냐고 반문한다. 왕후닝이니까 가능하다는 말이다.

왕후닝 약력

- 1950년생, 고향은 산둥성 라이저우시, 푸단 대학 국제정치학과 졸업, 법학 석사
- 1977~1978년: 상하이시 출판국 간부
- 1978~1995년: 푸단 대학 수학, 교수, 국제정치학과 주임, 법학원장
- 1995~2007년: 중앙정책연구원 정치팀장, 정책연구원 부주임, 주임

• 2007~2017년: 정치국원, 중앙정책연구실 주임, 중앙 전면심화

　　　　　 개혁영도소조 판공실 주임

• 2017~ : 정치국 상무위원, 중앙서기처 서기, 중앙정책연구실 주임, 중앙

　　　　 전면심화 개혁영도소조 판공실 주임, 중앙문명위원회 주임

6 공산당원의 저승사자

자오러지趙樂際 중국공산당 중앙기율검사위원회 서기

삼성의 70억 달러 투자를 이끌어낸 손

현 중국의 최고 지도부, 즉 정치국 상무위원 가운데 삼성을 빼고 말할 수 없는 인물이 있다. 자오러지趙樂際, 1957~ 정치국 상무위원 겸 당기율위 서기다. 당 권력 서열 6위다. 그러나 실제 권력은 이보다 훨씬 세다. 중국을 통치하는 공산당 당원의 비리를 감시하고 조사하는 권력을 지녔기 때문이다. 이른바 중국공산당원의 '저승사자'다.

그는 삼성과 인연이 있는데 2012년으로 거슬러 올라간다. 당시 그는 산시성 서기였다. 삼성이 중국에 사상 최대 규모로 투자한다는 소식이 흘러나오면서 각 지방정부의 서기들이 삼성을 잡기 위해 총력전을 펼쳤다. 삼성은 베이징 부근에 반도체 공장을 짓고 싶어 했다. 교통이 편리하고 수도 부근에 위치한 첨단 산업시설이라는 상징성 때문이다. 그러나 중국 정부가 수도권 과밀을 우려하자 삼성은 차선책으로 충칭을 주목했다. 중국의 서부 대개발을 겨냥한 포석이었다. 당시 충칭시 서기는 친한국기업의 대표주자였던 보시라이였다. 협상이 거의 마무리될 무렵 갑자기 '보시라이 사건'이 터졌다. 보시라이 서기의 부인이 동업자 관계의 영국인 닐 헤이우드를 독살하면서 시작된 이 사건은 왕리쥔王立軍, 1959~ 당시 충칭시 공안국장의 미국 영사관 피신과 보시라이의 실각으로 이어진다. 삼성은 정치적 소용돌이 속에서 반도체 공장을 지을 수 없었다. 고민하던 삼성에 자오러지가 손을 뻗었다. 그는 파격적인 우대 조건을 내걸었다. 공장 건설 기반시설을 산시성의 성도인 시안시가 조성하고 수년간 각종 행정적·세무적 혜택을 주겠다는 당근이었다. 그렇게 삼성은 시안시에 무려 70억 달러약 7조 6,000억 원에 달하는 투자를 결정한다. 중국 외자유치 사상 최대 액수였다. 삼성 반도체의 하이테크, 연관 산업 발전과 고용 증대 효과, 서부 대개발을 위한 동력 확보 등을 고려한 자오러지의 과감한 베팅이 주효했다. 그만큼 자오러지는 결단력과 추진력 그리고 기회를 잡는 순발력이 뛰어나다.

공직자 저승사자

그가 2017년 9월 제19차 당대회를 통해 정치국 상무위원에 오르고 왕치산에 이어 당 기율위 서기를 맡자 일각에선 회의적인 반응이 나왔다. 부패척결에 관한 한 왕치산의 명성을 뛰어넘기 어려울 것이라는 관측이 지배적이었다. 그러나 이런 반응은 곧바로 자취를 감췄다. 그가 당 기율위 서기에 취임한 지 두 달 만인 2017년 10월 3명의 장관급 인사가 낙마했기 때문이다. 우선 2017년 11월 장양張陽, 1951~2017 당 중앙군사위 정치 공작부 주임상장, 대장급이 부패혐의로 조사받던 중 자택에서 목을 매 자살했다. 장양 주임은 당 중앙군

" 단 한순간도 부패와의
투쟁을 멈추지 않겠다. "

최고 수준의 부패척결에 주력하는 자오러지

사위 위원 8인 가운데 한 명으로 서열 6위였다. 그뿐만 아니라 중국의 '인터넷 차르Czar, 황제'로 불리던 루웨이魯煒, 1960~ 전 국가인터넷 정보 판공실 주임도 부패혐의로 낙마했다. 루웨이는 시진핑의 측근으로 2015년에는 『타임』TIME이 선정한 '영향력 있는 세계 100인'에도 선정됐다. 국가인터넷 정보 판공실은 세계 최대 규모의 네티즌이 활동하는 중국 인터넷 서비스 전체를 통제하는 권력을 지니고 있다. 4차 산업혁명 시대, 중국 사이버 언론 권력을 관리하고 통제하는 핵심기관이다. 그곳의 수장을 칠 만큼 자오러지의 부패척결 의지는 확고했다.

명웨이孟偉, 1956~ 전인대 환경자원보호위원회 부주임도 부패혐의로 낙마했다. 전인대 상임위 부주임은 장관급 인사다. 그래서 요즘 중국 공직자들 입에서 '구관이 명관'이라는 말이 나온다고 한다. 오히려 왕치산 때가 나았다는 의미다. 그만큼 자오러지는 매서운 인물이다. 당 기율위 서기를 맡은 후 그의 일성은 "단 한순간도 부패와의 투쟁을 멈추지 않겠다"였다. 그는 자신의 말이 빈말이 아니라는 걸 증명하기 위해서라도 왕치산을 뛰어넘는 수준의 부패척결에 주력할 것이다.

리더는 하루아침에 솟아나지 않는다

자오러지의 고향은 산시성 시안이다. 그의 부친인 자오시민趙喜民은 항일전쟁 시절 공산당 서북 야전군 종군기자였다. 자오시민은 자오에게 어릴 적부터 "첫째도 국가, 둘째도 국가"를 강조하며 투철한 국가관을 심어주었다. 자오시민은 후에 모스크바로 유학을 떠났는데 당시 같이 갔던 친구가 첸치천錢其琛, 1928~2017 전 부총리다. 첸치

시안시에 조성되고 있는 삼성 반도체 공장.
자오러지는 공장 건설 기반시설을 시안시가 조성하고
수년간 각종 행정적·세무적 혜택을
주겠다는 조건으로 삼성 반도체 공장 건설을 유치했다.
삼성은 시안시에 무려 70억 달러를 투자하기로 했는데
이는 중국 외자 유치 사상 최대 액수였다.

천은 외교 부장1988~92을 지내며 한중수교를 이끌어낸 중국 외교계의 거물이다. 첸치천 전 부총리는 1980년대 후반 불평 한마디 없이 오지 칭하이에서 탁월한 행정능력을 발휘하는 유학동지의 아들, 자오러지를 유심히 지켜보며 "국가의 동량 중 동량"이라고 평했다고 한다. 그리고 훗날 시진핑에게 자오러지를 적극적으로 추천한 것으로 알려져 있다.

자오러지는 부친의 영향으로 국가관 하나만큼은 타의 추종을 불허한다. 그만큼 당에 대한 충성도도 최고다. 문혁이 절정에 달했던 1974년 산간벽지 칭하이성으로 하방되면서도 군소리 한마디 안 했다. 그리고 무려 31년을 외진 곳에서 때를 기다리며 와신상담臥薪嘗膽했다. 시진핑을 기다리는 강태공의 심정이었을 것이다. 자오는 1976년 문혁이 끝나자 이듬해인 1977년 베이징 대학 철학과에 입학해 1980년에 졸업했다. 그리고 그해 다시 칭하이성 근무를 자원한다. 훗날 왜 하필 칭하이였느냐는 지인들의 질문에 그는 "최고 명문대학을 나왔다고 자만하지 않고 가장 낙후된 곳에서 가장 비참한 인민의 생활을 보며 미래를 꿈꾸기 위해서"라고 답했다고 한다. 리더는 단련되고 배양되는 것이지 하루아침에 솟아나는 게 아니라는 걸 스스로 입증하고 싶었던 것이다.

그는 항상 현장에서 업무를 시작했다. 어떤 부서에서 일하든 무조건 현장으로 가 확인하고 또 확인하는 게 몸에 배어 있다. 물론 미래 권력에 대한 야망의 끈을 놓지 않았기 때문에 가능한 일이었다. 그가 칭하이성 서기에 오른 1999년을 전후해 중국은 동서 간 빈부격차 해소를 위해 대대적인 서부 대개발을 시작했다. 이때 그는 칭짱靑藏 고원의 차이다무柴達木 분지에 순환 경제국을 만들어 칭하이 발전을 주도했다. 결과는 '경이로움' 그 자체였다. 2000년 263억 위안이던 칭하이성의 지역총생산은 2006년 641억 위안약 10조 7,000억 원으로 늘어난다. 주민소득은 불과 6년 사이에 두 배 반 가까이 증가했다. 그렇다고 그가 개발지상주의자라는 것은 아니다. 경제발전과 환경보호는 병행해야 한다는 게 그의 지론이다. 칭하이성은 중국의 젖줄인 창장長江, 황허黃河, 란창강瀾滄江, 메콩강의 발원지다. 자오러지는 경제발전을 추구하면서도 이들 강물의 발원지에 환경보호구를 만들었다. 그리고 중앙정부에 환경보호구 보호를 위한 예산을 신청했다. 중앙정부가 난색을 표하자 그는 몸소 현장에서 겪은 환경보호의 어려움을 조목조목 알리고 중앙정부 관리들을 설득해 수십억 원의 자금을 확보했다. 이후 창장, 황허, 란창강 상류의 환경보호는 지금도 중국의 모범적인 하천 환경보호 모범사례로 평가받고 있다.

자오러지의 현장행정은 산시성에서도 빛을 발했다. 2007년 산시성 서기로 부임해서도 첫해에 90개 현을 모두 시찰할 정도로 현장을 중시했다. 산시성은 시진핑의 세계전략인 일대일로 가운데 육상 실크로드의 출발점이다. 취임 후 그는 탁상행정에 익숙한 관리들의 업무문화부터 뜯어고쳤다. 모든 관리에게 현장확인을 주문하고 주민에게는 창업을 장려했다. 공직자와 기업의 부패고리를 끊기 위해 '기회균등'도 외쳤다. 이를 위해 산시성 주민이라면 누구든 창업할 수 있는 기회와 정부의 도움을 받을 수 있는 권리를 보장했다. 이렇게 그는 고속 성장 모델이 동부 연안에만 존재한다는 중국의 통념을 깼다. 산시성 서기로 일한 5년 동안 자오러지는 국제 금융위기, 원촨汶川 대지진 등 온갖 악조건을 모두 극복하고 2011년 지역총생산 1조 2000억 위안을 기록하며 경제성장률 전국 1위를 달성한다.

30년 넘게 외지에서 묵묵히 현장행정에 전념한 자오러지에게 2012년은 그야말로 대운이 터진 해다. 달리 말하면 31년간의 와신 상담이 결실을 맺은 해다. 그해 11월 열린 제18차 당대회에서 당 총 서기에 오른 시진핑은 자오러지를 당 중앙조직부장으로 전격 발탁 한다. 이 자리는 8,800만 공산당원의 인사를 총책임지는 자리로 당 의 요직 중 요직이다. 당시 그는 세간의 주목을 별로 받지 못하는 산 시성 서기였다. 공직생활 대부분을 외진 칭하이에서 보냈다. 그가 시진핑과 친분이 있다는 사실은 알려져 있었다. 그러나 그 친분이 권력의 요직인 당 중앙조직부장에 오를 정도로 강력했다고 생각하 는 사람은 많지 않았다. 도대체 시진핑은 뭘 믿고 그에게 인사 권력 을 맡겼던 걸까.

동향同鄕과 동생

중국 권력의 파벌을 말할 때 흔히 시진핑이 이끄는 태자당과 상 하이방 그리고 공청단을 거론한다. 그러나 이들 세력 못지않게 주목 받는 파벌이 지방파다. 남이 알아주지 않아도 지방에서 실력을 쌓 은 후 중앙으로 스카우트되는 그야말로 실력으로 똘똘 뭉친 엘리트 그룹이다. 자오러지는 그 지방파의 대표적인 인물이다. 이들은 특정 파벌에 몸을 담지 않아 객관적이고 공정한 일처리를 철칙으로 여긴 다. 시진핑은 총서기에 오르자마자 개혁을 외쳤다. 정파에 치우지지 않고 적재적소에 인재를 배치해야 하는 인사 권을 자오러지에게 맡 긴 이유다.

물론 시진핑이 실력과 청렴성만 보고 그를 발탁한 것은 아니다. 자오러지의 고향인 시안은 시진핑의 고향인 푸핑 바로 옆이다. 동향으로 통한다. 푸핑은 시진핑의 아버지 시중쉰이 태어나고 혁명 활동을 벌인 곳이다. 땅이 넓은 중국에서 고향이 같다는 것은 강력한 관시를 형성한다. 그만큼 서로 믿고 의지할 수 있다는 얘기다. 반평생을 외진 칭하이에서 묵묵히 최선을 다하는 자오러지를 동향 시진핑이 외면할 리 있겠는가.

자오러지는 자오러친趙樂秦, 1960~ 이라는 동생이 있다. 동네 사람들은 어릴 적 자오 형제를 보고 형은 용이고 동생은 호랑이라고 불렀다고 한다. 형제가 어릴 적부터 공부도 잘하고 반듯하게 커 장차국가의 동량이 될 것이라는 칭송이 자자했다. 자오러지의 동생은 30세도 안 된 나이에 산시성 산양山陽현 서기를 했는데 이는 성 내에서 가장 어린 부처장副處長급 관리였다. 38세에는 성 교통청 부청장까지 올랐다. 그러나 2007년 3월 형이 산시성 서기에 부임하자 형에게 부담을 주지 않기 위해 광시廣西 좡족자치구 허저우賀州시 서기로 떠난다. 그리고 2010년에는 다시 광시 좡족자치구 쭝쭤崇左시 서기로 자리를 옮기며 몸을 낮췄다. 2018년 현재 구이린桂林시 당 서기로 있다. 자오러친의 이력이나 그와 관련한 언론 보도는 찾기조차힘들다. 형의 벼슬길에 장애가 되지 않기 위해 스스로 희생한 동생이 있었기에 오늘의 자오러지가 있는지도 모른다.

자오러지 약력

• 1957년생, 고향은 산시성 시안시
• 1974~1977년: 칭하이성 지식청년, 칭하이성 상업청 통신원

- 1977~1980년: 베이징 대학 철학과 수학, 졸업
- 1980~2007년: 칭하이성 상업청 간사, 청장, 재정청 청장, 부성장,
  시닝(西寧)시 서기, 칭하이 성장, 서기
- 2007~2012년: 산시성 서기
- 2012~2017년: 정치국원, 중앙서기처 서기, 당 중앙조직부장
- 2017~ : 정치국 상무위원, 당 기율위 서기

7　상하이 도사

한정韓正 중화인민공화국 국무원 부총리

상하이에서 거친 직책만 40개

정치국 상무위원이자 부총리인 한정韓正, 1954~ 은 상하이에서만 42년간 공직생활을 했다. 시작은 조그만 기중기설치 회사의 창고 관리원이었다. 그가 시에서 거친 직책만 40여 개다. 고향도 상하이에서 멀지 않은 저장성 츠시慈溪다. 그에게 '상하이 제갈량' '상하이 도사' '뼛속까지 상하이 사람'이라는 별명이 따라다니는 이유다.

사실 중국 권력사를 보면 한 도시에서만 근무하다가 최고 지도부에 바로 오른 이는 거의 없다. 중국은 지도자 배양에서 다양한 행정 경험을 가장 중요하게 보기 때문이다. 실제로 현재 중국의 최고 지도자는 대부분 최소 3~4군데 이상의 성과 도시, 또는 중앙정부에서 다양한 행정 경험을 한 이들이다. 한데 한정은 딱 한 군데, 상하이에서만 행정 경험을 쌓고는 곧바로 14억의 지존인 정치국 상무위원 자리를 차지했다. 그 어려운 일은 해낸 그에게 무슨 비방祕方이 있는 걸까.

어릴 적 그는 매우 총명했다고 한다. 문혁이 종료될 무렵인 1975년 상하이의 작은 기중기설치 회사 창고 관리원으로 취직했는데 그 업무능력이 타의 추종을 불허했다. 이후 고등학교에 진학했지만 문혁 때문에 공부는 거의 하지 못했다. 다만 부지런하고 한번 담당한 업무는 똑 소리나게 처리해 상사들이 그를 애지중지했다. 그는 창고 관리원 근무 5년 만에 판매와 구매 담당은 물론 사내 공청단 부서기 자리까지 꿰찼다. 일을 잘한다는 소문이 돌자 상하이 화공장비 설비 회사에서 그를 스카우트했다. 직책은 회사의 정무적 업무를 총괄하는 간사였다. 그리고 그는 2년 만에 상하이시 화공국 공청단 서기에 오른다. 바쁜 업무 속에서도 그는 학업을 게을리하지 않았다. 85년 화동華東사범대학 야간 대학에 입학해 국제경제를 공부한다. 말 그대로 주경야독이었다.

당시 중국에서 국제경제란 매우 생소한 학문이었다. 1978년 덩샤오핑이 개혁개방을 시작했지만 서방식 경제 개념을 아는 이는 거의 없었다. 사회주의 계획경제로 밖을 내다보지 못했던 중국이었다. 이때 한정은 20년, 아니 30년 후의 중국을 내다보고 국제경제를 공부했다. 대단한 혜안이다.

주룽지 전 총리가 상하이시 서기를 맡았던 1990년에 한정은 상하이시 공청단 부서기로 발탁된다. 당시 나이 36세였다. 이듬해에는 곧바로 상하이 공청단 서기에 오른다. 2년여간 상하이 공청단을 이끌었던 경력으로 그는 공청단과 관계를 맺게 되었다. 하지만 공청단 근무경력이 비교적 짧아 공청단 색채가 옅을 수밖에 없었다. 오히려 그의 인맥은 대부분 상하이방 계열 인사였다. 어쨌든 그는 중국의 3대 권력 파벌 가운데 태자당을 제외한 상하이방과 공청단에 양다

" 시 전체는 당 중앙의 요구에 따라
정신을 가다듬고
창조적 혁신의 노력을 기울여
경제, 사회 발전을 지속해나갈 것. **"**

'처세술의 경전'이라 불린 한정

리를 거칠 수 있는 경력을 쌓게 된다.

덩샤오핑이 남순강화를 하며 중국 전역에 개혁개방 바람을 불러일으킬 때 한정은 상하이시 루완盧灣 구 부서기로 이동한다. 이곳에서 3년간 근무하면서 그는 화이하이루匯海路를 개조해 상하이의 대표적인 상업지구로 변모시키는 수완을 발휘한다. 그리고 이를 유심히 지켜본 이가 있었으니 바로 당시 상하이시 서기였던 우방궈 전 전인대 상무위원장과 황쥐黃菊, 1938~2007 시장이었다. 둘은 한정을 중국 경제수도인 상하이를 이끌 미래 동량으로 보고 적극적으로 후원한다. 한정이 상하이방 핵심 멤버로 편입됐다는 얘기다. 이후 그의 관운은 승승장구한다.

1995년에는 요직 중의 요직인 상하이시 정부 비서장으로 승진했다. 성실함과 탁월한 업무능력만으로 오를 수 있는 자리가 아니다. 그는 끊임없이 공부하며 자신을 단련하면서 발전시켰다. 바쁜 가운데 시간을 쪼개 화동 사범대학 국제경제학과에서 경제학 석사학위를 취득하자 상하이시는 물론 당 중앙에서도 경의를 표했다. 시 정부 비서장이란 자리는 당 서기의 의전은 물론 모든 시의 행정을 조율하기 때문에 공부할 시간을 내기가 쉽지 않다. 그래서 한정이 석사학위를 따자 '가짜'가 아니냐는 소문이 돌았다. 논문 대리작성 등 각종 의혹에 휩싸였으나 조사 결과 아무 근거 없는 모함이었음이 밝혀졌을 뿐이다. 정적들의 시기였다. 1998년 당시 상하이방의 거두인 황쥐 상하이시 서기는 44세의 한정을 부시장으로 파격 발탁한다. 이제 상하이에서 그를 넘을 자는 없었다.

2010년 상하이 엑스포 중국관.
한정은 상하이 엑스포를 성공적으로 마무리하면서
상하이에 관한 그의 능력은 거의 절대적이라는 인식을 확산시킨다.
그리고 2012년 꿈에 그리던
상하이 서기와 정치국원에 오른다.

적을 만들지 않는 동그라미 처세술

그렇다고 한정의 벼슬길이 순탄했던 것만은 아니다. 2001년 총리 후보까지 거론되던 쉬쾅디徐匡迪, 1937~ 상하이 시장이 돌연 사임하고 후임에 천량위가 임명됐는데 이게 한정에게 위기가 된다. 이인사는 천량위를 당시 상하이 서기인 황쥐의 후임으로 만들기 위한 상하이방의 포석이었다. 예상은 틀리지 않았다. 이듬해인 2002년 11월에 황쥐가 정치국 상무위원 겸 부총리에 선임돼 중앙으로 올라가자 천량위는 시장이 된 지 1년 만에 서기에 올랐다. 그리고 공석이 된 상하이 시장은 한정에게 돌아갔다.

당시 그의 나이는 불과 48세였다. 40대 상하이 시장은 1949년 공산당 정권이 수립된 이래 두 번째였다. 첫 번째는 1949년 48세의 나이로 상하이 시장이 된 천이陳毅, 1901~ 였다. 당시에는 국공내전이 종결된 직후라 젊은 층이 대거 요직에 등용되던 시절이었다. 그래서 한정은 사실상 최초의 40대 상하이 시장이나 다름없었다. 당시 중국 정가에서는 한정을 차세대 정치 스타로 부르는 데 이견이 없었다. 여기까진 한정에게 꽃길이었다.

그러나 호사다마라 했던가. 2006년 7월, 승승장구하던 그에게 위기가 찾아온다. 당시 후진타오의 정치적인 맹우인 우관정吳官正, 1938~ 이 이끄는 당 기율위가 10여 명의 베테랑 수사관을 상하이시에 파견한다. 당 기율위는 중국 공직자들에게 염라대왕으로 통한다. 조사받는 순간 지위고하를 막론하고 대부분 실각으로 이어지기 때문이다. 그들은 한정을 조용한 곳으로 불러 거부할 수 없는 세 가지 주문을 한다. 사실상 지시였다. 첫째, 앞으로 상하이시에 대한 당 기율위의 활동을 적극적으로 지원하고 다른 마음을 품지 말 것. 둘째,

심적 부담을 벗어던지고 당과 인민의 편에 서서 시의 위법 활동들을 고백할 것. 셋째, 결코 동요하지 말고 시장직을 충실히 수행해 상하이의 사회질서와 경제활동을 안정적으로 유지하라는 것이었다. 당시 당 기율위의 칼끝은 천량위 서기를 겨누고 있었다. 천량위는 베이징에서 열린 정치국 회의 도중 분배와 내륙 개발이라는 원자바오의 경제정책에 반대하며 탁상을 치고 삿대질까지 한 전력이 있었다. 이후에도 사사건건 중앙정부의 경제정책에 이의를 제기했다. 그는 아직도 성장이 필요하다는 성장주의 경제관을 고수하고 있었다. 당연히 후진타오와 원자바오는 격노했다.

천량위는 결국 그해 9월 25일 대규모 사회보장기금 유용 사실이 드러나며 전격 해임됐고, 한정은 그다음 날인 26일 대리 서기에 임명된다. 천량위가 상하이시 1인자로서 대규모 횡령을 저지를 당시 한정은 직급상 상하이시의 2인자였다. 당시 홍콩과 서방 언론들은 한정 역시 천량위 사건에 연루되었을 것이라고 추정했다. 그래서 한정도 이제 끝났다고 생각하는 사람이 많았다. 한데 그는 멀쩡했다. 이를 놓고 여러 가지 설이 난무했다. 상관인 천량위의 비리를 고자질해 살아남았다는 얘기가 돌았고 상하이시의 동요를 막기 위해 현지 사정에 정통한 한정에게 뒷수습을 맡겼다는 얘기도 있었다. 또 장쩌민이 그를 보호했다는 얘기도 있었다. 진위를 알 수 없지만 어쨌든 그는 살아남아 다시 권력의 핵심으로 진군한다.

한정은 대리 서기가 되자마자 "상하이는 수많은 기회와 도전, 심지어는 곤란에 직면해 있다"면서 "시 전체는 당 중앙의 요구에 따라 정신을 가다듬고 창조적 혁신의 노력을 기울여 경제, 사회 발전을 지속해나갈 것"이라고 선언하면서 사실상 중앙정부에 항복한다. 그리고 천량위 지우기에 돌입한다. 이때 나온 말이 '둥글둥글' 한정이다. 누구와도 부딪치지 않고 적을 만들지 않으며 시대에 순응할 줄아는 그의 처세술에 경탄을 표하는 말이다. 한정은 '처세술의 경전'이라는 말도 이때 나왔다.

천량위 사건으로 한정의 입지는 좁아질 수밖에 없었다. 사회보장기금 유용에 한정 시장의 책임이 없다는 건 상식적으로 이해하기어려웠기 때문이다. 권력 싸움에서 용케 살아남았지만 상관이던 천량위의 낙마에 대한 도덕적 책임은 면할 수 없었다. 누가 봐도 한정의 위기였다. 그러나 한정은 달리 생각했다. 이 경험을 오히려 자신의 정치적 성숙의 계기로 활용했다. 그리고 2007년 3월 시진핑이 천량위 사건으로 혼란스러운 상하이시를 수습하기 위해 서기로 부임해오자 그에게 충성을 맹세한다. 당시 시진핑은 차기 국가주석이 될가능성이 큰 인물로 오르내렸는데, 한정도 이를 모를 리 없었다. 이후 한정은 반년도 안 돼 시진핑을 도와 천량위 측근들을 모두 제거하는 데 성공한다. 지금까지 그가 시진핑에게 버림받지 않고 정치국상무위원으로까지 승승장구한 비결이라면 비결이다. 물론 그에 대한 장쩌민, 즉 상하이방의 전폭적인 후원도 든든한 원군이었음을 부인할 수 없다.

2010년 상하이엑스포는 그에게 다시 한번 권력을 다질 기회를 준다. 당시 중국 정가에서는 천량위 사건에 대한 도의적 책임을 지고한정이 구이저우성 서기로 좌천될 것이라는 소문이 돌았다. 한데 구세주가 나타난다. 상하이 서기로 부임한 위정성俞正聲, 1945~ 이 그를보낼 수 없다고 버텼다. 한정 없이 상하이엑스포를 성공적으로 치러낼 수 없다는 논리였다. 예상대로 한정은 엑스포를 성공적으로 마무리하면서 상하이에 관한 한 그의 능력은 거의 절대적이라는 인식을 확산시킨다. 그리고 2012년 꿈에 그리던 상하시 서기와 정치국원에 오른다. 상하이방 좌장인 장쩌민, 공청단 수뇌인 후진타오, 현재 권력인 시진핑 등 그 누구에게도 적을 사지 않았던 그의 '동그라미 처세술' 때문에 가능한 일이었다.

그는 제19차 당대회에서 최고 지도부인 정치국 상무위원에 올랐다. 7명의 정치국 상무위원 가운데 서열 7위이자 부총리다. 그러나 권력과는 거리가 멀어보인다. 리커창을 도와 효율적으로 행정을 관리하는 게 그에게 주어진 최고의 권력이다. 그의 상하이 경험이 중국 경제와 사회에 어떤 영향을 미칠지 두고 볼 일이다.

한정 약력

• 1954년생, 고향은 저장성 츠시시, 화동사범대학 경제학 석사
• 1975~1980년: 상하이시 쉬후이치 기중기 설치 공장 관리원, 당지부 서기
• 1980~1990년: 상하이시 화공 공장 간사, 상하이시 화공국위원회 서기,
　　　　　　　신발공장 당위원회 서기
• 1990~1992년: 공청단 상하이위원회 부서기, 서기
• 1992~1998년: 상하이시 루완구 부서기, 구청장, 시정부 부비서장
• 1998~2012년: 상하이시 부시장, 시장
• 2012~2017년: 정치국원, 상하이시 서기
• 2017~ : 정치국 상무위원
• 2018~ : 부총리

8 소프트파워의 아이콘
펑리위안彭麗媛 영부인

중국 외교의 절반

초등학교 5학년쯤 되는 소녀가 등장한다. 그리고 힘없는 목소리로 말한다. "아빠는 마약중독으로 죽었고 엄마는 병에 걸려 돌아가셨어요." 소녀의 눈에선 눈물이 주르르 흐른다. 이어 소녀의 손을 잡고 등장하는 인물이 중국의 영부인이자 유명 가수인 펑리위안彭麗媛, 1962~ 여사다. 2017년 중국공산당 중앙 TVCCTV에서 방영한 펑리위안의 중국 고아 돕기 캠페인 광고다. 한데 왜 중국의 유명 모델이나 아이돌, 또는 영화배우가 아닌 영부인이 나섰을까. 이유는 복합적이다. 우선 펑리위안 개인이 고아 돕기를 비롯한 자선 활동에 관심이 많다. 어린 시절 어려운 형편의 가정에서 자란 기억 때문이라고 한다. 남편인 시진핑의 가난 퇴치 운동인 '푸핀'扶貧 정책을 적극적으로 지원하려는 목적도 있다. 시진핑은 취임 이후 계속해서 5,600여만 명2015년 말 기준에 달하는 고아 등 저소득층 지원에 주력

하고 있다. 중국공산당 창당 100주년이 되는 2021년까지 샤오캉 사
회를 만들어야 한다는 국가 장기목표가 있기 때문이다. 샤오캉 사회
는 국민들의 의식주 문제가 기본적으로 해결되는 중진국 수준의 사
회다.

평리위안 자신이 중국 소프트파워의 아이콘이 되고 싶어하는 야
망과도 무관하지 않다. 실제로 평리위안은 세계보건기구WHO의 결
핵 및 에이즈AIDS 예방 친선대사로 활동하며 중국의 소프트이미지
확산에 주력하고 있다. 역대 중국 영부인으로는 유일하게 중국의 소
프트파워를 행사하는 인물이다. 또한 그는 인민해방군 예술학원 원
장으로 군 계급이 소장한국의 준장인 현역 장성이다. 영부인 겸 장성
으로서 올바른 국가관을 중국인에게 솔선해서 보여줘야 한다는 의
무감이 있을 것이다. 그래서 그는 영부인이기 이전에 중국 통치에
엄청난 영향력을 발휘할 수 있는 파워엘리트라 할 수 있다.

2013년 시진핑의 국가주석 취임 후 첫 해외순방 일정으로 평리위
안과 함께 러시아를 방문하자 당시 중국 언론은 "중국이 이제야 중
국다운 영부인을 가졌다"라고 반응했다. 전임인 장쩌민과 후진타
오의 부인은 뒤에서 소리 없이 내조하는 데 주력했지만 평리위안은
당당하게 나서서 중국의 소프트파워를 과시할 거라는 기대감이 컸
다. 중국에서는 문혁을 주도한 마오쩌둥의 부인 장칭江靑, 1914~91의
국정유린 이후 영부인의 대외활동에 부정적인 시각이 많았다. 그러
나 시대가 변했고 중국이 G2로 부상한 마당에 영부인도 그에 걸맞
은 역할을 해야 한다는 공감대도 확산되고 있었다.

언론의 예상은 틀리지 않았다. 평리위안은 시진핑을 따라 세계를
돌며 중국의 소프트파워를 폭발적으로 선보였다. 특히 그의 우아한

❝ 중국이 이제야 중국다운
영부인을 가졌다. **❞**

중국의 소프트이미지 확산에 주력하는 펑리위안

자태, 가수생활로 다져진 탄탄한 무대 매너, 감각 있는 패션은 가는 곳마다 거친 중국의 이미지를 부드럽게 바꾸는 데 큰 역할을 했다. 2013년 시진핑과 함께 러시아에 입국하자마자 모스크바 공항에서부터 국제 언론의 스포트라이트를 받았다. 그가 입은 의상과 장신구는 전 세계적으로 순식간에 품절됐다. 이후 중국은 물론 해외의 대형 포털사이트에도 '펑리위안 패션'이 인기 검색어로 올랐다. 여기서 주목할 것은 그가 입은 모든 의상과 착용한 장신구가 중국산이었다는 점이다. 이를 계기로 전 세계가 중국의 패션에 주목했고 홍보도 자연스럽게 이루어졌다. 이후 그의 발길이 닿는 곳마다 중국의 소프트파워가 회자됐고 영향력을 발휘했다. 이것이 그가 영부인이 된 후『포브스』가 선정한 '가장 영향력 있는 여성 100인',『타임』이 선정한 '세계에서 가장 영향력 있는 인물 100인'에 선정된 배경이다. 그는 두말할 필요 없이 중국 내에서 가장 영향력 있는 여성이다. 일부에서는 중국 외교의 절반은 외교부가, 나머지 절반은 펑리위안이 한다고까지 평가한다. 그들은 펑리위안의 외교를 '매력 외교' '소프트 외교'라고 부른다.

산둥성 출신의 국보급 가수

"고향 마을 어르신들/나는 산촌에서 살았어요/그곳에는 마을 어르신들이 계시지요/수염 속에는 이야기가 가득하고요/천진스러운 웃음 속에는 고향 사투리가 숨어 있네요." 그의 대표곡 「고향 마을 어르신들」父老鄕親의 가사 일부다. 토속미가 차고 넘친다. 노래처럼 펑리위안은 세련미와 거리가 먼 농촌 출신이다. 펑리위안은 1962년 11월『수호지』의 영웅 송강宋江의 고향인 산둥성 허쩌荷澤 시 윈청鄆

펑리위안은 18세가 되던 해 베이징에서 열린
'전국 민족·민간창법 경연대회'에 참가해
관중들에게 강한 인상을 남긴다.
이후 펑리위안은 전위가무단으로 스카우트됐고
스타 가수로 성장한다.

城현 황투이지黃堆集향의 펑씨 집향촌에서 태어났다. 아버지 펑룽쿤彭龍坤은 윈청현의 문화관 관장, 어머니는 지방극단의 단원이었다. 가정환경이 유복할 리 없었다. 그는 어린시절 대부분을 방랑극단의 소달구지 위에서 보냈다고 한다. 그러나 공연을 위해 시골 구석구석을 돌았던 부모를 따라다닌 덕에 자연스럽게 음악인으로서의 자질을 닦을 수 있었다.

그의 부모는 딸의 재능을 살려줄 기회를 보고 있었다. 그러던 중 펑리위안이 14세가 되던 1976년, 문혁이 끝나면서 산둥 '5·7 예술학교'1978년 산둥 예술학원으로 개명에서 학생을 모집한다는 소식이 들려왔다. 펑리위안은 시험을 보기 위해 지닝濟寧시로 가야 했다. 그러나 갑자기 뇌막염에 걸린 동생과 공연 스케줄 때문에 부모님은 딸과 동행할 수 없었다. 아버지는 평소 알고 지내던 트럭 운전사에게 담배 두 보루를 주고 펑리위안의 음악선생님에게 여비 10위안을 건네며 딸과 동행해줄 것을 부탁했다. 중국 전역이 굶주리던 시절 10위안은 거금이었다. 그렇게 펑리위안의 아버지는 딸의 꿈을 후원했다.

당시 펑리위안은 키가 작고 말랐었다. 얼굴은 누렇고 머리를 양 갈래로 땋아 촌티가 줄줄 흘렀다. 그래서 주임시험관은 펑리위안을 거들떠보지도 않고 "넌 좀 기다려라, 다른 사람들이 시험을 다 마친 뒤에 다시 부르마"라고 했다. 그러나 이 시험관은 자신이 했던 말을 깜박 잊어버렸다. 밤 11시 40분 퇴근 준비를 할 때서야 퍼뜩 산골소녀가 생각났다. 결국 펑리위안은 자정이 다 돼서야 노래를 부를 수 있었다. 천신만고 끝에 얻은 기회였다. 그는 「태양은 제일 붉고 마오쩌둥 국가주석은 제일 친밀하다」太陽最紅毛主席最親는 노래를 불렀다.

순간 시험관들은 말문이 막혔다. 한 시험관이 "괜찮으면 한 곡 더 불러보라"고 말했다. 그녀는 혁명가 「난니완」南泥灣을 불렀다. 목소리에 거침이 없었다. 두 곡을 들은 시험관들은 손뼉을 치며 "산둥성에 국보급 가수가 났다"며 환호했다. 그렇게 펑리위안은 네댓 명만을 선발한 지닝시 합격자 명단에 당당히 이름을 올릴 수 있었다.

펑리위안은 산둥 예술학원에서 민족창법의 대가 왕인쉬안王音璇, 1936~2013의 지도를 받았다. 그녀는 반에서 두 번째로 나이가 어렸다. 동기생 쉬청웨徐承躍, 1958~ 는 "펑리위안은 순박하고 선량한 농촌 자매 같았다. 극단 출신이어서 그런지 그녀의 무대 장악은 반에서 최고 수준이었다"라고 회상했다. 1980년 펑리위안은 왕인쉬안을 따라 베이징에서 열린 '전국 민족·민간창법 경연대회'에 참가했다. 이 대회에서 그는 관중들에게 강한 인상을 남긴다. 당시『베이징 음악보』는 펑리위안에 대해 "민족창법의 미래는 밝다. 뒤를 이을 마땅한 사람이 있어서다"라고 평했다. 그의 나이 18세였다. 당시 대회장에는 북유럽 6개국 순방공연을 준비하던 지난濟南 군구 정치부 전위가무단 단장 쑨정孫正이 있었다. 그는 펑리위안의 노래를 듣고 곧바로 그를 스카우트했다. 이후 펑리위안은 전위가무단의 스타 가수로 성장한다.

펑리위안은 어려서부터 군인을 동경했다고 한다. 집안 배경 때문이었다. 그의 이모부는 황푸黃埔 군관학교 출신이고, 역시 군인인 외삼촌은 국민당을 따라 타이완으로 갔다. 이 때문에 아버지가 문혁 기간 우파 반혁명 분자로 몰려 곤욕을 치렀다. 펑리위안은 "카키색 군복을 보면 문혁의 아픔이 조금은 덜어진다"라고 하면서 자신과 군의 인연을 설명하기도 했다.

평리위안의 탄탄한 노래실력은 1982년 CCTV의 설 특집 버라이어티쇼 「춘제롄환완후이」^{春節聯歡晚會}에서 빛을 발한다. 그는 난생 처음 출연한 중국 최고 프로그램에서 「희망의 들판에서」^{在希望的田野上}를 열창했는데 다른 출연자들을 압도했다. 시청자들의 반응은 폭발적이었다. 그렇게 평리위안은 인민해방군은 물론 중국을 대표하는 가수로 입지를 굳힌다. 이후 평리위안은 2007년까지 무려 25년간 이 프로그램에 단골로 출연하며 가수 최고의 영광을 누린다.

군인인 평리위안은 위문공연이 주특기다. 20여 년간 일선 부대와 전선을 누볐다. 그의 인기가 치솟던 1980년대 중반 중국은 스타들의 전성시대였다. 유명 가수들에게 공연 요청이 쇄도했고 매년 출연료로 수십, 수백만 위안을 벌어들였다. 그러나 평리위안은 달랐다. 출연료 대신 군부대를 찾았다. 북한, 러시아, 베트남, 라오스, 미얀마와 마주한 변경 부대를 누비며 국가 안보를 위해 고생하는 군인들을 위로했다. 그 엄청난 인기를 사익보다는 국익을 위해 쓴 것이다.

인기가 높아지면서 최고 지도자들과 접촉할 기회도 많아졌다. 김정은 북한 국방위원회 제1위원장이 태어난 1983년, 김정일 당시 북한 노동당 중앙위원회 비서가 중국을 비공식 방문했다. 이때 평리위안이 환영 만찬장 무대에 올라 김정일이 가장 좋아한다고 알려진 「꽃 파는 처녀」를 한국어로 멋지게 불렀다. 김정일 왼쪽에는 3년 후 그녀의 시아버지가 될 시중쉰 중앙서기처 서기가 앉아 있었다. 시진핑과의 인연은 그렇게 움텄는지도 모른다.

평리위안의 트레이드마크는 수수함이다. 1997년 홍콩의 중국 반환 기념공연 때의 일이다. 공연에 참가한 평리위안은 홍콩의 유력지 『명보』^{明報}와 인터뷰했다. 그는 공연 시간이 가까워졌는데도 혼자 화장하고 머리를 손질하면서 질문에 답했다. 이 모습을 본 기자가 "당신은 화장도, 머리 손질도 스스로 하나요? 홍콩에서 당신 정도의 스타라면 전용 스타일리스트가 있는데"라며 놀랐다고 한다. 당시 시진핑은 푸젠성 부서기로 재직 중이었다. 그의 수수함은 한국에서도 빛을 발했다. 2006년 한중가요제 참석을 위해 방한한 펑리위안에게는 수행원이 없었다. 당시 한국의 한 방송 관계자는 "펑리위안은 매우 소탈하고 순수했다. 저장성 서기의 부인이자 현역 장군인 그가 수행원도 없이 직접 화장하고 혼자 준비하는 모습을 보고 깜짝 놀랐다"고 당시를 회상했다.

운명을 바꾼 시진핑과의 만남

그의 운명을 송두리째 바꾼 시진핑과의 만남은 1986년 말로 거슬러 올라간다. 펑리위안의 친한 친구가 만남을 주선했다. 시진핑은 1980년대 초 전 영국대사 커화의 딸 커샤오밍柯小明과 결혼했으나 3년 만에 헤어졌다. 당시 펑리위안은 24세로 시진핑보다 아홉 살 연하였다. 펑리위안은 푸젠성 샤먼시 상무부시장이었던 시진핑이 여성의 외모만 보는 사람은 아닌지 시험해보고 싶었다. 그래서 처음 만나는 자리에 뚱뚱해 보이는 큰 사이즈의 군복 바지를 입고 나갔다. 시진핑의 첫 인상은 자신보다 더 촌스러웠고 나이보다 늙어 보였다. 훗날 펑리위안은 "처음 시진핑을 보는 순간 (외모에) 정말 실망했지만 대화하며 그의 진솔함을 느꼈다"라고 회고했다. 둘의 첫 만남에서는 이런 대화가 오갔다.

시진핑 성악에는 몇 가지 창법이 있나요?

펑리위안 여러 가지가 있는데요.

시진핑 내가 TV를 안 봐서 모르는데 당신은 요즘 어떤 노래를 부르나요?

펑리위안 「희망의 들판에서」를 불러요.

시진핑 네! 그 노래는 들어본 적이 있어요. 아주 좋아요.

외모에 실망했던 펑리위안은 시진핑이 "출연료가 얼마냐" "어떤 옷을 좋아하느냐" 등 세속적인 질문 대신 속 깊은 질문을 쏟아내자 곧바로 마음을 빼앗겼다. 펑리위안은 "사실 첫인상은 별로였다. 한데 대화하면서 시진핑이 좋아졌다. 내가 기다리던 사람인 것 같다는 생각에 마음이 요동쳤다"라고 회고했다. 시진핑도 비슷한 생각을 했다고 한다. 결혼 후 시진핑은 펑리위안에게 "사실 난 만난 지 40분도 안 돼 당신을 내 아내가 될 사람으로 확신했다"고 말했다. 둘은 서로 좋아했지만 한 가지 문제가 있었다. 펑리위안의 부모가 결혼을 반대한 것이다. 그들은 고위 간부의 자제 가운데 상당수가 안하무인으로 행동하거나 세상 물정을 몰랐기 때문에 시진핑을 탐탁지 않게 여겼다. 그러자 시진핑이 직접 미래의 장인 장모를 찾아갔다. 그리고 이렇게 말했다. "내 부친도 농민의 아들이고 가정교육을 엄하게 하신 분입니다. 집안의 결혼 상대도 평민 자제를 원하십니다." 펑리위안의 부모는 부총리까지 지낸 지도자가 며느릿감으로 평민 자제를 찾는다는 말에 시진핑을 다시 봤고 결국 결혼을 승낙했다.

중국다운 영부인

수년 전 중국에서는 펑리위안의 패션 때문에 난리가 났다. 펑리위안이 평소 애용하는 가방이 해외 명품 브랜드가 아닌 중국 디자이너 마커^{馬可, 1971~}의 작품으로 밝혀졌기 때문이다. 마커의 브랜드 '우융'^{無用}이 순식간에 인기 검색어에 올랐다. 마커는 1996년 전 남편인 마오지훙^{毛繼鴻}과 함께 패션업체 '리와이'^{例外}를 만들어 큰 성공을 거둔 중국 패션업계의 거물이다. 2006년에는 '쓸모없는'^{無用} 브랜드 '우융'을 론칭했다. 중국의 도교 사상을 디자인에 접목시켰는데 시장의 반응이 좋았다. 영화감독 자장커^{賈樟柯, 1970~}가 '우융'의 성공 드라마를 다큐멘터리로 만들어 베니스영화제 작품상을 받기도 했다. 펑리위안은 본래 국산품 애호자가 아니었다. 1990년대까지만 해도 그가 군용 코트에 외국 명품 핸드백을 들고 양회에 출석하는 사진이 보도되기도 했다. 당시 펑리위안이 든 가방은 루이비통의 인기 모델로 해외에서 1,000달러 넘는 가격에 거래되던 제품이었다. 하지만 네티즌들은 그때도 펑리위안의 루이비통 가방이 군용 코트와 잘 어울린다고 반응했다. 미래의 중국 지도자인 시진핑의 부인을 비판할 수 없었기 때문이다. 더군다나 요즘에는 영부인이 중국제 가방을 들고 해외 홍보 모델까지 자처하니 중국인들의 반응이 어찌 뜨겁지 않을까. 중국인들은 영부인이 '메이드 인 차이나'를 홍보하며 국가의 위상과 소프트파워를 높이고 있다고 자랑스럽게 여긴다.

　사실 이런 펑리위안의 소프트파워는 권력이다. 인민해방군 예술학원 원장, 전국 문학예술계연합회 부주석, 제8, 9, 10기 전국정치협상 회의 위원을 비롯해 세계보건기구의 결핵 및 에이즈 예방 친선대사 등 그는 많은 직함을 가지고 있다. 펑리위안은 2012년 말 중화전국청년연합회 네트워크를 활용해 시진핑의 총서기 등극에도 일조했다. 2005년부터 2010년까지는 중화전국청년연합회 부주석을 역임하기도 했다. 시진핑이 총서기에 취임할 당시 홍콩의 월간지 『명경』明鏡은 "펑리위안의 노력으로 후진타오 수하의 많은 공청단 인사가 시진핑 지지 쪽으로 방향을 틀었다"라고 분석했다. 펑리위안이 영부인이기 이전에 개인의 능력과 직책으로도 엄청난 권력을 행사하고 있다는 얘기다. 가끔 중국 관영매체가 펑리위안의 동정을 보도하는데 그 순서가 정치국원보다 앞선다. 중국 최고 지도부인 정치국 상무위원과 같은 반열이라는 얘기다.

펑리위안 약력

- 1962년생, 고향은 산둥성 허쩌시, 산둥성 예술학원 졸업, 음악 석사
- 1993~2008년: 정협 위원
- 2005년: 중화전국청년연합회 부주석
- 2007년: 전국 결핵 예방 홍보대사
- 2009년: 인민해방군 총 정치부 가무단장, 금연 홍보대사
- 2011년: 세계보건기구 결핵 및 에이즈 예방 친선대사
- 2012년: 인민해방군 예술학원 총장
- 2014년: 세계보건기구 결핵 및 에이즈 예방 친선 대사
- 2013~ : 영부인

9 시진핑이 붙잡은 소방수

왕치산王崎山 중화인민공화국 부주석

부활한 원로 권력

왕치산王崎山, 1948~ 중국 국가부주석은 2017년 10월에 열린 중국 공산당 제19차 당대회에서 공식적으로 퇴직했다. '7상8하'라는 당의 인사관례 때문이었다. 당시 그는 정치국 상무위원 겸 당 기율위 서기였다. 그런데 보기드문 일이 벌어졌다. 2018년 3월 17일 전인대가 끝나면서 그가 국가부주석으로 선출된 것이다. 퇴직 권력이 불사조처럼 살아 있는 권력으로 되돌아왔다. 물론 예상됐던 일이기는 하다. 왕치산은 제19차 당대회에서 퇴직한 후에도 여전히 중국 최고 지도부인 정치국 상무회의에 참석하고 있었기 때문이다. 반부패 운동을 주도했던 왕치산에 대한 시진핑의 신뢰는 이렇게 파격적이고 강력하다. 1인 지배체제를 구축한 시진핑이 아직도 그를 필요로 한다는 뜻이기도 하다. 정치국 상무위원 회의에 비非상무위원이 참석한 것이 처음은 아니다. 1992년 한중수교 당시 국가주석을 지냈

던 양상쿤楊尙昆, 1907~98 역시 정치국원 신분으로 정치국 상무위원
회의에 참석하는 특권을 부여받은 바 있다. 천다오인陳道銀 상하이
정법대학 교수는 왕치산의 상무회의 참석에 대해 "정치적 안정성과
연속성을 강화하려는 시진핑의 결정일 것이다. 의결권이 있는 멤버
는 아니지만 원로나 고문으로서 발언하는 것"이라고 해석했다.

왕치산의 복귀를 예견하는 신호는 이전부터 있었다. 2017년 9월
왕치산 전 서기는 리셴룽李顯龍, 1952~ 싱가포르 총리, 스티브 배넌
Steve Bannon, 1953~ 전 미국 백악관 수석전략가를 연달아 접견했다.
은퇴를 한 달 앞둔 정치국 상무위원의 행보라고 보기 어려웠다. 그
는 리셴룽 총리를 만난 자리에서 "(중앙의) 지침을 받았다"라고 밝
히기까지 한다. 그뿐만 아니라 당 기관지인『인민일보』는 그가 퇴직
하고 한 달 후인 2017년 11월 왕치산이 쓴「신시대를 열고 새로운
노정에 오르자」는 5,400여 자의 방대한 글을 게재한다.『인민일보』
산하 시사주간지『환구인물』은 왕치산을 커버스토리로 다루기까지
했다. 왕치산의 20년 비서 출신인 저우량周亮, 1971~ 당 기율위 조직
부장은 중국은행감독위원회 부주석에 올랐다. 저우량은 왕치산이
광둥성 부성장으로 재직할 때 비서를 맡은 이후 국무원, 하이난海南
성, 베이징시 등에서 그를 그림자처럼 보좌했다.

그럼 시진핑은 왜 그 많은 인재 중에 왕치산을 붙들고 있는 걸까.
여러 해석이 가능하다. 우선 왕치산의 탁월한 리더십과 행정능력을
나이 때문에 사장시킬 수 없었다는 분석이 가능하다. 왕치산은 시
진핑이 국가주석으로 취임한 이후 5년간 부패척결을 앞세워 오늘
날 시진핑의 1인 지배체제를 완성한 특등공신이다. 왕치산이 시진
핑 권력의 대주주라는 얘기다. 중국을 다각도로 압박하는 미국을 상

" 호랑이_{고위직} 부패든

파리_{하위직} 부패든

다 잡겠다. **"**

시진핑 취임 이후 5년간 부패척결에 앞장선 왕치산

대하려면 왕치산의 경륜과 돌파력이 절실하다는 말도 나온다. 중화권 인터넷매체인『둬웨이』^{多維}는 왕치산이 금융, 경제 담당 부총리로 미중 전략경제대화S&ED를 주도했던 경험을 살려 미중 무역 전쟁 등 향후 예상되는 미국의 경제 공격을 막는 핵심 '역할'을 할 것이라고 전망한다.

시진핑과 한 펑좡결의

왕치산은 국무원 부총리를 지낸 야오이린^{姚依林, 1917~94}의 사위다. 부인 덕에 태자당의 핵심으로 부상했다고 할 수 있다. 그의 고향은 산시성 톈전^{天鎭}이지만 태어난 곳은 산둥성 칭다오^{靑島}다. 8세 되던 해 공무원인 아버지를 따라 베이징으로 이주했다. 그의 부친은 칭화 대학을 졸업하고 국무원 건설부 산하인 도시 설계원에서 일하는 고급 엔지니어였다. 부친이 엔지니어였지만 어릴 적 가정생활은 평범했다. 문혁이 발발하자 당시 대부분 학생처럼 왕치산은 산시성 옌안현 펑좡^{憑莊} 마을로 하방됐다. 당시 하방은 청년들에게 악몽과 같았다. 매일 고된 노동이 이어졌고 생활환경은 열악했다. 그러나 왕치산에게 하방은 전화위복의 계기가 되었다. 시진핑과 남다른 인연을 맺은 것이다. 1969년 16세이던 시진핑 역시 지식청년으로 하방돼 산시성 옌촨현을 찾아가는 길에 이전부터 알고 지내던 왕치산을 찾았다. 시진핑은 다섯 살 위인 왕치산과 함께 한 이불을 덮고 하룻밤을 잔 뒤 목적지인 량자허 마을로 향했다. 그날 저녁 둘은 낙후한 중국 인민의 생활을 어떻게 개선할 것인지를 놓고 밤새 토론했다. 그리고 국가의 미래를 위해 의기투합했다. 도원결의가 아닌 '펑좡결의'를 한 셈이다. 이후 둘은 어디에 근무하든 연락을 유지하며 서로 안부를 챙겼다. 왕치산은 평생의 반려자와 권력 후원자도 하방 기간에 만났다. 부인은 야오이린 당시 재정 무역부 부주임차관급의 딸인 야오밍산姚明珊이다. 야오밍산은 왕치산이 똑똑하고 리더십도 강했기 때문에 결혼했다고 한다. 문혁 기간에 하방됐던 야오이린은 1971년 대외무역부 부부장으로 복권된다. 왕치산은 장인 덕에 3년 간의 하방생활을 끝내고 산시성 박물관으로 배치된다. 이때 역사에 흥미를 느낀 그는 1973년 시안에 위치한 시베이西北 대학에 들어가 역사를 전공한다. 왕치산은 졸업하고 나서도 산시성 박물관에서 1979년까지 근무했다. 이어 사회과학원 연구원, 중앙서기처 농촌정책연구실 연구원, 국무원 농촌발전연구 중심 부주임, 소장직을 거치며 승승장구했다.

4군자, 중국 경제의 미래

1980년 중국 사회과학원 경제 분야 연구생이었던 황장난黃江南, 1950~ 과 그의 친구 리인허李銀河는 중국 경제가 붕괴 직전이라는 진단을 내리고 이를 지도층에 알리려 했다. 그때 리인허는 친구 왕치산을 황장난에게 소개한다. 당시 왕치산은 근대 역사연구소의 보조연구원에 불과했다. 그러나 왕치산을 만난 황장난은 "그는 역사를 공부하고 있었지만 몹시 총명하고, 학습능력이 뛰어나 경제 분야를 토론하는 데도 전혀 문제가 없었다"라고 회고했다. 이렇게 모인 4명의 연구원은 중국 경제가 당면한 문제점을 조목조목 분석한 보고서를 작성했다. 보고서는 중국 경제가 1980년대에 쇠퇴기를 맞을 것이라는 전제에서 시작한다. 그리고 그 원인을 생산력 부족으로 규정하고 이를 타개하기 위한 대책을 나열했다. 당시 국가계획위원회의 국민경제 예측자료는 1980년에 6~8퍼센트의 성장을 예측하고 있었다. 그러나 그들의 보고서는 마이너스 성장을 할 것이라고 예측했다. 왕치산은 보고서를 장인인 야오이린에게 제출했고 야오이린은 이를 천윈陳雲, 1905~95 당시 당 중앙위원회 부주석에게 올렸다. 보고서를 받아든 천윈은 "한 명은 공학도고, 한 명은 농업 전공이고, 한 명은 역사 학도인데 이렇게 탁월한 보고서를 써내다니"라고 말하며 감탄했다. 그리고 자오쯔양趙紫陽, 1919~2005 당시 총리에게까지 보고서를 올린다. 자오쯔양은 보고서를 정독한 후 왕치산, 황장난, 웡용시, 주자밍 등 4명을 직접 불러 오후 시간을 전부 할애해 그들의 의견을 청취했다. 그 자리에는 야오이린 등 국무원 간부들도 동석해 함께 토론을 벌였다. 이후 이들 4명은 사군자四君子로 불리며 일약 '중국 경제의 미래'가 된다. 1980년 여름에는 광둥성 서기 런중이任仲夷, 1914~2005가 왕치산과 황장난을 남쪽으로 불러 광둥 경제개혁에 대한 의견을 구하기까지 했다. 둘은 좌담회를 열어 광둥성 정부 각 부문의 각종 현안을 파악하고 모든 청, 국과 회의했다. 이후 현, 시, 농촌, 군부대를 둘러본 뒤 광둥성 경제발전전략에 대해 보고했다. 황장난과 왕치산이 제출한 보고서는 이후 대부분 광둥성의 기본정책으로 채택된다.

최고의 소방수

역사 연구에 몰입했던 왕치산은 이렇게 탁월한 동료, 특히 황장난을 만나면서 경제에 눈뜬다. 그리고 당 중앙서기처 농촌정책 연구실에서 근무하며 소장까지 지낸다. 당시 그와 함께 일했던 농촌문제 전문가 원톄쥔溫鐵軍, 1951~ 은 훗날 "왕치산은 역사의식이 있었고 주도면밀했다. 그가 시키는 대로 하면 일의 성과가 좋았다. 그는 공부하길 좋아하고 겸허했으며, 명랑하고 민주적이었다. 서로 대립하는 의견과 주장 모두에서 장점을 발견하는 데 발군의 능력이 있었고 리더십이 뛰어났다"고 회고했다. 1988년 왕치산은 중국 최초의 전국 단위 민간농촌금융기구인 중국농업신탁투자공사를 조직해 총경리와 당위원회 서기를 맡는다. 금융 분야에서 경력을 쌓기 시작한 것이다. 그러나 다음 해인 1989년 천안문 사태가 발생하자 농촌사업으로 오해를 사지 않기 위해 투자공사를 떠나 중국건설은행 부행장으로 자리를 옮긴다. 그러면서 1990년 또다른 귀인인 주룽지 전 총리를 만나는데 그의 인생을 바꾼 만남이었다. 왕치산에게 금융과 경제 관련 보고를 받은 주룽지는 감탄을 금치 못했다. 두뇌가 천재급이라는 주룽지마저 왕치산의 능력을 인정했다. 그리고 1993년 국무원 부총리로 있던 주룽지는 중국인민은행장을 겸직하면서 왕치산을 중국인민은행 부행장으로 발탁하고 이듬해에는 중국건설은행장에 발탁한다. 왕치산은 중국건설은행과 미국 모건스탠리의 합작을 이끌어 중국 국제금융공사CICC를 창립한다. 중국 최초의 투자은행인 중국국제금융공사는 국가가 소유한 중대형 기업의 구조개혁과 해외융자 등과 관련한 서비스를 제공하고 있다. 주룽지는 계속해서 왕치산을 밀었다. 1997년 아시아 금융위기가 터지자 왕치산은 당시 가장 어려움을 겪던 광둥성으로 내려가 부성장을 맡는다. 그리고 4년간 근무하면서 금융위기를 극복하고 광둥성의 경제체질을 강화하는 데 성공한다. 이후 왕치산에게는 '소방수' '폭탄해체반'이라는 별명이 붙었다.

그의 소방수 역할은 이후에도 계속된다. 2002년에는 부동산 거품

문제가 심각했던 하이난성 서기로 부임해 문제를 해결하고 2003년에는 베이징시 시장으로 차출돼 당시 창궐했던 중증 급성 호흡기 증후군, 즉 사스SARS를 진압하기까지 한다. 시장에 부임한 첫날 그는 "1은 1이고 2는 2다. 군대에서는 농담을 하지 않는 법軍中無戱言이다. 절대 사태를 축소하거나 은폐하려 하지 말고 사실 그대로 보고하라"고 지시한다. 시민에게는 상황을 있는 그대로 알렸고 시 정책에 대한 신뢰를 호소했다. 과학적인 방역과 환자 격리조치 등 실질적인 대책은 그다음이었다. 사스를 진압한 왕치산은 아이돌을 능가하는 정치 스타로 떠올랐다. 실제로 그해 11월 여론조사 기관인 링디엔零點이 전국 20개 주요 도시민들을 상대로 실시한 국민 지지도 조사에서 그는 70.5퍼센트의 지지를 얻어 모든 중국 지도자 중 최고를 기록한다.

부패척결의 칼

2012년 11월 제18차 당대회에서 시진핑이 당 총서기에 오르자 왕치산은 공산당 최고 권력기관인 당 기율위 서기를 맡는다. 진정한 왕치산 시대의 개막이었다. 그리고 시진핑의 1인 권력 기반을 다지기 위해 부패척결의 칼을 휘두르기 시작한다. 1969년 시진핑과 왕치산이 지식청년으로 결의하고 다짐했던 '평창결의'를 행동으로 옮긴 것이다. "호랑이고위직 부패든 파리하위직 부패든 다 잡겠다"는 시진핑의 경고는 현실이 됐고 이후 5년간 중국 공직사회에는 피바람이 불었다. 저우융캉 전 중국공산당 중앙정법위원회정법위 서기 겸 정치국 상무위원, 쉬차이허우, 궈보슝 전 당 중앙군사위 부주석, 링지화 전 통일선전공작부 부장통전부장, 쑨정차이 전 충칭시 서기 등

2003년 4월 중국의 심장 베이징에 사스가 창궐해
도시 전체가 공황에 빠졌다.
소방수로 투입된 왕치산은 사태를 축소하거나
은폐하지 않고 시민에게 알렸으며
과학적인 방역을 통해 사스를 진압했다.

수백 명의 차관급 이상 거물이 그의 칼날에 추풍처럼 나가떨어졌다. 그가 당 기율위 서기를 맡은 5년 동안 무려 119만 명의 당원과 공직자가 부패 관련 처벌을 받았을 정도다.

왕치산은 독서를 권하는 것으로도 유명하다. 그는 방대한 독서량을 자랑한다. 경서經書, 사서史書, 제자諸子, 문집文集 등 경사자집經史子集과 동서양 학술 서적, 문학 등 분야를 가리지 않는다. 2007년 베이징 시장을 그만두면서는 직원들에게 장편 역사소설『대청상국』大淸相国을 추천했다. 청나라 300년 동안 자금성에서 벌어진 황제와 신하들의 암투를 그린 책이다. 2014년에는 기율위 위원들에게 프랑스 역사학자 토크빌이 쓴『앙시앙레짐과 대혁명』을 읽으라고 지시했다. 부패가 어떻게 당과 국가를 망하게 하는지 알아야 중국 관료사회의 고질적 문제인 부패를 도려낼 수 있다는 이유를 곁들였다. 중화부흥을 꿈꾸는 시진핑이 왕치산을 놓지 못하는 이유를 더 설명할 필요는 없을 것 같다.

왕치산 약력

- 1948년생, 고향은 산시성 톈전현, 시베이西北 대학 역사학과 졸업,
  고급경제사(高級經濟師)
- 1969~1971년: 산시성 옌안현 펑좡 지식청년
- 1971~1979년: 산시성 박물관 근무, 시베이 대학 졸업
- 1979~1988년: 사회과학원 연구원, 중앙서기처 농촌정책연구실 연구원,
  국무원 농촌발전연구 중심 부주임, 소장
- 1988~1997년: 중국 농촌신탁투자공사 총경리, 중국건설은행 부행장, 행장,

중국인민은행 부행장

- 1997~2007년: 광둥성 부성장, 하이난성 서기, 베이징시 시장,
  베이징올림픽조직위원회 주석
- 2007~2012년: 정치국원, 국무원 부총리, 상하이엑스포 주임위원
- 2012~2017: 정치국 상무위원, 당 기율위 서기, 부총리
- 2018~ : 국가부주석

2

시진핑 이후 잠룡 9인

시진핑 이후를 노리는 중국의 차세대 잠룡은
누구인가. 안갯속이다. 제19차 당대회를 통해
선임된 현 정치국 상무위원 가운데 뚜렷한
후계자가 보이지 않기 때문이다. 특히 2018년
3월 전인대가 헌법을 개정해 국가주석 임기제를
폐지하면서 시진핑이 언제 물러날지 가늠하기
어렵게 됐다. 차기 지도자가 아니라 차차기
지도자를 점쳐야 하는 상황이다.
그럼 누가 그 경쟁의 출발선에 서 있을까.
현 정치국원 25명 가운데 9명 정도가 눈에 띈다.
대부분 시진핑과 깊은 인연이 있거나 중앙과
지방에서 발탁된 파워엘리트 그룹이다.
시진핑 1인 체제가 굳어지면서 68세 이상
지도자의 최고지도부 진입을 막는 '7상8하'
관례도 의미가 없게 됐다.
그들의 대권경쟁이 앞으로 중국 권력 판도를
어떻게 변화시킬지 주목할 필요가 있다.

10 시진핑의 후계자?

천민얼陳敏爾 충칭시 서기

시진핑이 숨겨놓은 후계자

2017년 7월, 중국 정가를 강타하는 뉴스가 터져 나왔다. 쑨정차이 당시 충칭시 서기의 낙마 소식이었다. 농업 전문가로 정계에 입문한 쑨정차이는 역대 최연소인 43세에 농업부장을 역임하고 역시 최연소인 49세에 정치국원에 오른 정계의 거물이었다. 그는 한때 시진핑의 후계자로 거론되었으며 최소한 총리는 따놓은 당상이라는 말이 공공연히 떠돌았다. 그의 낙마 이유는 부패혐의로만 알려져 있다. 그러나 쿠데타설에서 여자관계까지 온갖 소문이 꼬리에 꼬리를 물고 있다.

쑨정차이의 낙마 소식이 알려지기 며칠 전 새로운 충칭시 서기가 갑자기 임명되었다. 천민얼陳敏爾, 1960~ 구이저우성 서기였다. 더 놀라운 것은 그가 구이저우 서기에 오른 지 2년도 채 안 돼 중국 최대의 직할시 서기를 장악했다는 점이다. 이때부터 국내외 언론은 천민얼을 집중 조명했다. 중국 정계에 숨은 다크호스로 시진핑이 숨겨놓은 후계자라는 말이 공개적으로 나돌았다. 그렇지 않고서야 중국 서남부의 가난한 성의 서기가 정치국원만 맡을 수 있다는 충칭시 서기에 오를 수는 없는 일이었다. 천민얼이 제19차 당대회에서 정치국원을 넘어 정치국 상무위원에 올라 후계자의 길을 갈 것이라는 분석까지 나왔다. 비록 당대회에서 정치국 상무위원에 오르지는 못했지만 정치국원에 올라 차세대 대권 후보임을 분명하게 알렸다. 도대체 천민얼은 어떤 인물이기에 그토록 빠르게 권력 핵심부에 진입할 수 있었을까.

문사 중 문사, 인재 중 인재

천민얼은 저장성에서만 30여 년을 근무한 전형적인 지방 관료다. 고향이 저장성 주지諸暨다 보니 자연스레 고향에서 공직생활을 했고 그곳에서 뼈를 묻을 생각이었다고 한다. 그의 어릴 적 꿈은 선생님이었다. 그래서 샤오싱紹興 사범전문학교 중문과에 입학해 공부했다. 졸업 후 교편을 잡으려는 그에게 학교는 샤오싱시 선전부 근무를 권했다. 워낙 말이 논리적인 데다 글재주도 발군인 그를 교직으로 보내기에는 아까웠기 때문이다. 그는 학교의 권유를 받아들였고 그게 오늘날 대권을 노리는 파워엘리트로 가는 첫걸음이 됐다.

그에게 샤오싱은 공직생활에 대한 모든 걸 배우게 해준 도시였다. 1997년 인근 닝보寧波 부시장으로 영전하기까지 무려 15년을 샤오싱에서 보냈다. 훗날 그는 샤오싱 근무 시절 왜 공직자는 청렴해야 하는가, 농민 문제는 어떻게 해결해야 하는가, 인민을 어떻게 설득해야 하는가 등 공직자로서 맞닥치는 모든 문제의 해결 방법을 배

" 국가주석의 교육관을
반드시 배우고 실천해야
한다. **"**

시진핑의 숨겨놓은 후계자라는 말이 도는 천민얼

웠다고 회고했다. 그가 제시한 답은 '성실'과 '행동'이었다.

1999년 그는 저장성 최고의 당 기관지인 『저장일보』 사장에 오른다. 그의 글재주와 탁월한 선전 기법에 매료된 성 지도자들의 결정이었다. 당시만 해도 2년간의 신문사 사장 경력이 시진핑과의 만남에 어떤 역할을 할지 아무도 몰랐다.

2002년 시진핑이 저장성 부서기 겸 대리성장으로 부임해왔다. 시진핑은 저장성에 온 지 얼마 되지 않아 자신의 행정방침과 철학을 성 주민들에게 알리고 싶어 했다. 이때 시진핑이 부임한 해에 저장성 선전부장이 된 천민얼이 그의 눈에 띄었다. 막 『저장일보』 사장을 마친 그는 역동적인 언론 감각이 살아 있었다. 천민얼은 시진핑의 말을 듣고 적극적으로 찬성하면서 자신이 저장성 실정에 정통하니 초고를 쓰겠다고 했다. 그렇게 나온 게 『저장일보』 1면에 게재된 「지강신어」之江新語다. 당시 시진핑의 필명은 저신哲欣이었다. 저장성을 혁신하겠다는 의미의 저장창신浙江創新의 맨 앞 글자浙와 맨 뒤 글자新와 발음이 같은 두 글자哲欣를 선택해 자신의 필명으로 삼았다. 「지강신어」는 4년여 동안 232편이 연재됐다. 2007년에는 시진핑의 이름으로 『지강신어』라는 책이 출판되기도 했다.

물론 시진핑의 생각을 듣고 초고를 쓴 인물은 천민얼이다. 당시 시진핑 서기는 그의 초고를 보고 "문사 중 문사요, 인재 중 인재"라며 감탄했다고 한다. 저장성 출신인 천민얼은 가만히 앉아서 미래의 주군을 맞았고 그 주군은 그의 글을 보자마자 매료된 셈이다. 관운이 아무리 좋은 사람도 천민얼만큼 좋다고는 할 수 없을 것이다. 그는 분명 천하의 대운을 타고난 시대의 걸물이다. 운명도 실력이라 했으니 말이다. 4년간 시진핑의 통치철학과 사상을 글로 쓴 천민얼은 시진핑의 생각과 통치철학을 꿰찰 수밖에 없었다.

그렇게 천민얼은 시진핑의 저장성 재임 당시의 관료 인맥인 '즈장신쥔'의 대표주자가 됐다. 지강之江은 저장성을 대표하는 첸탕錢塘강을 일컫는다. 갈 지之자처럼 이러저리 굽이쳐 흐른다 해서 붙여진 이름이다. 여기서는 저장성을 뜻한다. 따라서 즈장신쥔은 저장 출신으로 구성된 시진핑의 측근 관료집단을 지칭한다. 물론 천민얼은 「저장신어」라는 시진핑의 칼럼 하나만으로 핵심 권력에 진입한 것은 아니다. 그는 가난의 대명사인 구이저우성을 개혁하면서 시진핑의 신뢰를 얻었다.

중국산업의 미래 빅데이터

중국을 대표하는 술 마오타이주茅台酒, 마오쩌둥이 장정長征 도중 당권과 군권을 한꺼번에 장악하는 계기가 된 준이遵義 회의1935년 1월, 한국인도 즐겨 찾는 황과수黃果樹 폭포, 모두 구이저우성 하면 생각나는 것들이다. 그러나 실상은 전 성의 80퍼센트가 산림으로 중국에서 경제발전 조건이 가장 열악한 지역이다. 2012년 구이저우성 서기에 부임한 천민얼은 이와 같은 사실을 누구보다 잘 알고 있었다. 그는 부임하자마자 공직자들에게 사고의 전환을 요구한다. 산림이 많고 오지이며 교통이 불편하다는 것은 4차 산업혁명 시기에는 오히려 천혜의 자원이라는 게 그의 생각이었다. 그래서 추진한 게 국가 빅데이터 산업유치였다. 빅데이터 시설은 대규모 컴퓨터 시설에서 발생하는 열을 냉각하기 위해 주변에 숲이 많아야 한다는 점에 착안한 것이었다. 그렇게 세계 최대 규모의 중국 빅데이터 센터가 구이저우 구이양貴陽에 둥지를 틀게 된다. 구이저우는 통신장비나 첨단 의료기기 등과 관련된 4차 산업혁명 산업을 대거 유치하면서 전국에서 경제성장률이 가장 높은 성으로 도약한다. 실제로 천민얼이 구이저우성 부서기로 근무한 4년, 서기로 재임한 3년 동안 성은 평균 10퍼센트대 성장률을 기록하면서 고속 성장한다.

4차 산업혁명을 주도할 IT기업들이 몰려들면서 구이저우성은 2015년 10.5퍼센트의 경제성장률을 기록했다. 중국 전체 평균 6.7퍼센트를 훨씬 웃도는 성적이다. 구이양도 2015년 GDP가 전년 대비 11.7퍼센트 증가한 3,157억 7,000만 위안을 기록하며 사상 처음으로 3,000억 위안을 돌파했다. 중국의 4차 산업혁명은 척박했던 유배지의 땅 구이저우에서 불붙고 있다. 이 모두가 천민얼이라는 차세대 중국 대권 후보가 만들어낸 성과다. 시진핑은 이처럼 시대의 변화를 읽는 천민얼의 행정능력을 보고 자신의 후계자로 점찍고 있는지 모른다.

이를 감지한 천민얼은 시진핑에 대한 충성도를 갈수록 높이고 있다. 2016년 9월 10일 천민얼은 갑자기 구이저우 대학을 방문해 학생들을 만난다. 그곳에서 학생들에게 건넨 첫마디가 시진핑의 교육관이었다. 2014년 9월 9일 시진핑이 베이징 사범대에서 개최한 '국가인재배양계획' 토론회에 참석했을 때는 국가주석의 교육관을 반드시 배우고 실천해야 한다고 강조했다. 이어지는 강의 역시 대부분 시진핑의 통치관과 철학에 대한 얘기였다. 그의 통치관은 시진핑과 한 몸이고 같이 진화한다는 뜻이 아니고 무엇이겠는가.

그는 한국에 대한 관심도 많다. 그가 구이저우와 자연환경이 비슷한 한국의 발전 모델을 연구해 실제로 성 경제개발 계획에 참고했다는 얘기가 있다. 2016년 4월에는 직접 한국을 방문해 경제현장을

천민얼이 주도적으로 유치한 구이양 빅데이터 센터는
중국 산업의 미래이고 경제발전의 신동력이라는 평가를 받는다.
천민얼은 산림이 많고 교통이 불편한 것이
4차 산업혁명 시기에는 오히려 천혜의 자원이라고 생각했다.
빅데이터 시설은 대규모 컴퓨터에서 뿜어져 나오는
열을 식히기 위해 주변에 숲이 많아야 한다는 점에서 착안한 것이다.

돌아봤다. 방한 기간 동안 국무총리, 외교부 장관, 산업통상자원부 장관, 주요 지방자치단체장을 만나 한국과의 교류를 확대하는 방안 등을 논의했다. 또한 그는 빈틈없는 성격이라고 한다. 상부에 보고할 때도, 부하 직원들에게 지시할 때도, 반드시 파워포인트PPT를 준비해 상대에게 논리적으로 쉽게 설명한다.

천민얼 약력

- 1960년생, 고향은 저장성 주지시, 샤오싱 사범전문대학 졸업, 중앙당교 대학원 졸업
- 1982~1997년: 샤오싱시 선전부 간사, 현장, 현서기
- 1997~1999년: 저장성 닝보시 부시장, 부서기
- 1999~2001년: 저장일보 사장
- 2001~2012년: 저장성 선전부장, 부성장
- 2012~2017년: 구이저우성 부서기, 성장, 서기
- 2017~ : 정치국원, 충칭시 서기

11 강남의 야심가

리창李強 상하이시 서기

변하고 개혁하지 않으면 도태된다

중국 최대 경제권 가운데 한곳인 창장 삼각주는 중국 국내총생산 GDP의 20퍼센트 이상을 차지하는 곳이다. 바다로 이어지는 창장 삼각주 주변의 광활한 옥토, 총명과 재치를 겸비한 인재들, 이 모든 게 어우러져 만들어진 천혜의 부국富國이다. 그래서 중국 공직자는 대부분 광둥성과 함께 이곳에서 꼭 한 번쯤 당서기로 일해보고 싶어한다.

"곳간에서 인심 나온다"라고 했다. 권력의 속성도 비슷해서 인심에서 시작된 경우가 많다. 인심을 얻지 못하면 권력 잡기가 어렵다는 얘기다. 시진핑도 저장성과 상하이시 서기 시절 여론을 얻었고 대권의 발판을 다졌다. 정치국원 겸 상하이시 서기인 리창李強 1959~ 은 창장 삼각주를 삼분하고 있는 저장성 성장과 장쑤성 서기에 이어 중국의 경제수도라는 상하이까지 섭렵한 중국에서도 유일한 이력을 자랑하는 파워엘리트다. 당연히 시진핑 이후 대권을 노리는 강남창장이 남의 잠룡이다. 한국인에게는 이름이 낯설지만 중국에선 어찌나 잘 나가는지 시진핑의 양아들이라는 소문이 돌 정도다.

그는 저장성 루이안瑞安 사람이다. 18세였던 1976년 고향에 있는 전력설비 회사의 일용직으로 사회생활을 시작했다. 집이 너무 가난했던 탓이다. 그리고 2016년 6월 장쑤성 서기에 오르기 전까지 40년간 저장성을 떠나지 않았다. 저장성 한곳에서 공직생활을 이어가다 성장까지 올랐으니 그동안 얼마나 많은 굴곡이 있었겠나. 공직생활이 대부분 그렇듯 그의 인생역전은 한 사람과의 인연에서 시작된다. 바로 2002년 저장성 대리성장으로 부임해온 시진핑이다. 당시 리창은 저장성 원저우溫州시 서기2002~2003로 있었다. 시진핑과는 일면식도 없는 사이였다. 그래서 리창은 2003년 시진핑이 아닌 장가오리전 정치국 상무위원 당시 산둥성 서기의 부름을 먼저 받는다. 장가오리 서기는 개혁과 변화에 둔감한 산둥성 공직문화를 바꾸기 위한 온갖 처방을 내놓고 시험하고 있었다. 그중 하나가 간부회의의 TV 생중계였다. 전례가 없었던 특단의 조치였는데 무슨 말을 해도 변하지 않는 성 간부들에게 자극을 주기 위해서였다. 리창 당시 원저우시 서기를 부른 것도 성 간부들에게 개혁개방과 행정개혁에 대한 강연을 부탁하기 위해서였다. 당시 리창은 다양한 행정개혁으로 중국공산당의 주목을 받고 있었다.

인구 9,800만 명의 산둥성을 책임지는 간부들이 고작 인구 900만 명의 원저우시를 대표하는 리창의 강연에 불만이 없었을 리 없다. 강연 부탁을 받은 리창은 자신의 행정 경험을 기반으로 원저우가 어떻게 민간 기업을 육성했는지, 중국 최고인 '원저우 상인'은 어떻

❝ 발전동력의 변화가
필요하다.
인재의 국제화가 필요하다.
이게 일대일로고
개혁개방의 심화다. **❞**

일대일로의 기수 리창

게 만들어지고 진화하는지 설명했다. 핵심은 "변하고 개혁하지 않으면 도태한다"였다. 당시 44세였던 젊은 리창의 강연은 언론을 통해 전국으로 퍼져나갔다. 산둥성 내에서도 평가가 좋았다. 지난시의 한 간부는 그의 강연을 들은 후 "충격이었다. 입에서만 맴돌던 개혁이 생활로 체화된 계기가 됐다"라고 말하기도 했다.

리창을 읽는 다섯 가지 키워드

산둥성 강연 후 저장성 서기였던 시진핑은 리창을 주목한다. 시진핑은 미래 대권을 위해 지방의 숨은 인재를 발굴하고 관리하고 있었다. 시진핑은 다음 해인 2004년 10월 리창을 저장성 당 상무위원회 비서장으로 불러들인다. 시진핑의 비서실장 자리다. 이후 리창은 시진핑이 상하이시 서기로 떠나는 2007년까지 그림자처럼 완벽하게 보좌한다. 시진핑은 상하이로 가기 전 리창의 결단력, 개혁 의지, 청렴성을 높이 평가해 공안과 사법부를 책임지는 정법위 서기까지 맡긴다. 미래의 국가 동량에게 다양한 경험을 할 수 있도록 배려한 것이다. 산둥성 강연은 시진핑이 리창을 발탁한 계기가 됐을 뿐, 그는 원래부터 지도자로서의 능력과 매력이 출중한 인물이었다. 시진핑은 물론 당시 저장성 간부들이 본 리창의 매력은 이렇게 요약할 수 있다.

첫째, 그는 항상 공부하는 간부였다. 집이 가난해 좋은 교육을 받지 못했던 그는 배움에 굶주렸다. 공장노동자 생활을 2년 한 후 곧바로 저장 농업대학 닝보 분교 농업기계학과에 입학한 것도 그런 이유에서다. 그는 4년간 혼신의 힘을 다해 공부했다고 회고한다. 1996년 저장성 진화金華시 상무위원으로 근무하던 시절에는 저장

항저우에 있는 알리바바 본사. 리창의 리더십이 없었다면
전자상거래의 중심지인 저장성은 없었을 것이다.
알리바바 본사가 항저우에 생긴 것,
퉁샹시 우전에서 매년 세계 인터넷 대회가
열리는 것 등이 모두 그의 작품이다.

대학 공상관리학과경영학과에 입학해 공부했다. 그는 산둥성 강연이 있었던 2003년에도 중앙당교 대학원 과정에서 시 행정과 국제경제학 공부를 병행했다. 심지어 지방 고위 관리 가운데 가장 바쁘다는 저장성 비서장을 하면서도 학습의 끈을 놓지 않았다. 당시 그는 시진핑 서기에게 공부해야 하는 이유를 설명하고 홍콩 이공대에서 MBA까지 따낸다. 그는 홍콩에서까지 공부한 유일한 정치국원이다. 리창은 이론과 실무가 겸비되지 않으면 어떤 행정도 시행착오가 따르고 문제의 핵심을 잡아내기 어렵다는 지론을 시진핑 당시 서기에게 설파했다고 한다.

둘째, 리창은 시대를 읽을 줄 안다. 시대를 앞서간 그의 리더십이 없었다면 오늘날 전자상거래의 중심인 저장성은 없었다. 알리바바 본사가 저장성 항저우에 둥지를 튼 것, 통상桐鄕시 우전烏鎭에서 매년 세계 인터넷 대회가 열리는 것 등이 모두 그의 작품이다. 그는 성장省長 시절 간부들에게 이런 말을 했다. "앞으로 전자상거래가 시장의 미래를 바꾼다. 그게 혁신이고 창조다. 온라인과 오프라인이 융합하고 정부와 시장이 보완 관계를 이룰 때 강한 시장을 보유한 성이 된다. 그때 우리는 지구를 살 수도, 팔 수도 있다." 봉이 김선달이 할 법한, 또는 공상과학소설에 나올 법한 발언이지만 당시 그는 일반인은 보지 못한 미래 사회의 변화를 통찰하고 있었다.

셋째, 정부와 시장의 본분과 역할에 정통하다. 그의 경제발전론에는 꼭 두 마디가 등장한다. 정부의 '보이는 손'과 시장의 '보이지 않는 손'이 조화를 이뤄야 국가든 지역이든 발전을 이룰 수 있다고 믿는다. 예컨대 그는 알리바바가 지방정부에 합리적 요구를 하면 지방정부는 당연히 들어줘야 한다고 강조한다. 그러나 그는 기업이 생존할 수 있는 환경을 정부가 미리 만드는 게 더 중요하다고 강조한다. 그가 설명하는 방법은 이렇다. "정부 권력을 정리해야 한다. 권력을 얼마나 내려놓는지의 문제가 아니다. 정부는 시장이나 기업에 관여해야 하는 경계선을 정확히 파악하고 있어야 한다. 그래야 기업이 합리적으로 경쟁하고 생존할 수 있는 환경이 조성된다."

넷째, 일대일로의 기수다. 일대일로는 시진핑이 주창한 중국의 국내외 전략이다. 그 전략 속에는 지속 가능한 중국 경제의 발전동력 확보라는 목표가 포함돼 있다. 시진핑의 복심인 그가 가만히 있을 리 없다. 2013년 9월 시진핑이 일대일로를 천명한 이후 그는 간부회의에서 항상 이렇게 말한다. "발전동력의 변화가 필요하다. 이를 위해 일대일로에 적극적으로 앞장서고 창장경제벨트를 건설해야 한다. 인재의 국제화가 필요하다. 이게 일대일로고 개혁개방의 심화다." 시진핑이 정치국 회의나 지방 순시를 할 때 한 말 그대로다. 상하이에서는 청년 창업 심사 때도 일대일로를 고려하지 않으면 통과가 어렵다고 한다.

리창에게는 '시진핑의 분신'이라는 수식어가 붙어 있다. 시진핑의 후임자로 낙점됐다는 소문이 돌고 있는 천민열과 함께 즈장신쥔의 쌍두마차라 할 수 있다. 즈장은 저장성을 가로지르는 첸탕강의 다른 이름으로 즈장신쥔은 시진핑이 저장성 서기 시절 같이 근무했던 파워엘리트 그룹을 말한다. 2022년 제20차 당대회에서 정치국 상무위원 진입과 시진핑 후계 자리를 놓고 한 살 차이의 리창과 천민열이 건곤일척乾坤一擲의 승부를 벌일 가능성이 갈수록 커지고 있다.

리창 약력

• 1959년생, 고향은 저장성 루이안현, 저장 농업대학 졸업, 홍콩 이공대학
  MBA, 중앙당교 MBA
• 1976~1977년: 저장성 루이안현 전력설비 회사 공원
• 1977~1982년: 루이안 공구 공장 공원, 저장성 농업대학 수학
• 1982~1990년: 공청단 루이안현 간부, 저장성 민정청 간부, 저장성 민정청
                농촌구제처 부처장, 처장
• 1990~2000년: 저장성 민정청 인사처장, 융캉(永康)시 서기, 성 정부 판공청
                부주임
• 2000~2011년: 저장성 공상행정처 국장, 원저우시 서기, 저장성 비서장
• 2011~2017년: 저장성 비서장, 정법위 서기, 대리성장, 성장, 장쑤성 서기
• 2017~ : 정치국원, 상하이시 서기

12 시진핑의 그림자

딩쉐샹丁薛祥 중국공산당 중앙판공청 주임

시진핑의 그림자

시진핑에게는 그를 그림자처럼 보좌하는 두 사람이 있다. 그들은 국가주석의 대내외 공식 행사에서 어김없이 주석의 좌우를 차지한다. 2017년 11월 트럼프 미국 대통령과 시진핑의 정상회담이 베이징에서 열렸다. 사진을 보니 시진핑의 오른쪽에는 딩쉐샹丁薛祥,1962~ 당 중앙판공청 주임이, 왼쪽에는 류허 부총리 겸 중앙재경영도소조 주임이 앉았다. 이틀 뒤 베트남 다낭에서 열린 한중 정상회담, 중일 정상회담에서도 둘은 좌우를 지켰다. 시진핑 집권 1기 2012~17 시절 좌우를 지켰던 리잔수, 왕후닝이 정치국 상무위원으로 올라가면서 딩쉐샹, 류허 콤비가 탄생한 것이다. 그만큼 둘은 최고 권력을 지근거리에서 보좌한다. 그중 당 중앙판공청 주임은 대통령 비서실장, 경호실장, 부속실장을 모두 합한 '문고리 권력'의 정수精髓라 할 수 있다. 시진핑의 일정 조정, 기밀서류를 포함한 문서 선별과 보고, 하위 당과 정부 조직의 연락 등도 모두 당 중앙판공청 주임의 손을 거친다. 시진핑의 경호를 담당하는 중앙경위국도 거느린다. 중국공산당 수뇌부의 사무실과 거처가 있는 중난하이의 모든 일을 관장한다고 해서 중난하이의 '대내총관'^{大內總管}이라 부르기도 한다.

당연히 이 자리는 최고 지도부, 즉 정치국 상무위원으로 올라가는 확실한 발판이다. 딩쉐샹의 전임자였던 리잔수는 2017년 10월에 열린 제19차 당대회에서 당 권력 서열 3위의 정치국 상무위원으로 발탁돼 전인대 상무위원장에 올랐다. 마오쩌둥 시절의 양상쿤과 왕둥싱^{汪東興}, 장쩌민 시절의 원자바오와 쩡칭훙, 후진타오 시절의 링지화 등이 당 중앙판공청 주임을 지낸 리더들이다. 이후 양상쿤은 국가주석, 왕둥싱은 정치국 상무위원, 쩡칭훙은 국가부주석, 원자바오는 총리가 됐다. 시진핑 집권에 반대해 실각한 링지화만이 예외다. 그럼 시진핑은 왜 자신의 분신과 다름없는 대내 총관으로 딩쉐샹을 발탁한 걸까.

시진핑이 취임한 지 2개월 후인 2013년 5월의 일이다. 중국 권력의 핵심 가운데 핵심인 당 중앙판공실 상무 부주임에 딩쉐샹이라는 인물이 깜짝 임명된다. 당시 딩쉐샹의 직책은 상하이시 정법위 서기였다. 어떻게 직할시 한 개 부문의 서기가 중앙 핵심 권력의 자리를 순식간에 차지할 수 있었을까. 파격을 넘은 충격이었다. 한데 고속 승진은 이 정도로 멈추지 않았다. 다시 2개월이 지나자 딩쉐샹은 국가주석 판공실 주임 자리까지 거머쥔다. 그리고 2017년, 그는 제19차 당대회에서 영도자 반열인 정치국원에 오르더니 당 중앙판공실 주임으로 승진한다. 이후 중국 정가에서는 류링허우^{六十後, 1960년}

" 속전속결,
발본원색. "

시진핑이 자신의 정치인생을 걸었던 딩쉐샹

대 출생 세대의 대표 주자, 시진핑 이후 대권을 노리는 천민얼의 가장 강력한 라이벌이라는 말이 나오기 시작했다.

시진핑, 딩쉐샹에게 정치인생을 걸다

인사 당시 중국 국내외 언론은 도대체 시진핑과의 인연이 얼마나 깊고 길기에 딩쉐샹이 그렇게 막강한 권력을 차지하는 걸까 하고 의아해했다. 그러나 그와 시진핑의 인연은 7개월에 불과하다. 그 짧은 기간에 시진핑은 자신의 신변을 내맡길 정도로 그를 매료시켰다는 얘기다. 딩쉐샹의 발탁 사유를 알기 위해서는 시진핑의 공직역정을 더듬어볼 필요가 있다. 시진핑은 오늘날 마오쩌둥에 버금가는 권력을 다지기까지 수많은 고비를 넘어야 했다. 그중 두 가지만 예를 들어본다. 첫 고비는 1982년 3월의 일이다. 당시 시진핑은 인민해방군의 사령탑인 겅뱌오 당 중앙군사위 비서장의 비서로 있었다. 겅뱌오 비서장은 시진핑의 아버지인 시중쉰 전 부총리와 공산혁명을 함께한 동지이자 전우다. 시진핑이 좋은 보직에 있었던 것은 이런 배경 때문이었다. 그런데 청년 시진핑은 갑자기 신의 직장을 버리고 허베이성 정딩현으로 내려가 고난과 고초를 자청한다. 대권을 꿈꿨던 그는 현장에서 처절하게 자아를 단련하지 않으면 국가를 경영하는 자리에 오를 수 없다고 판단했다. 물론 잘못되면 영원히 산간벽지에 머물며 잊힐 수도 있었지만 시진핑은 자신의 인생을 걸고 첫 도박을 했다. 또 다른 고비는 2007년에 찾아왔다. 당시 그는 정치국원 입성을 놓고 치열한 당내경쟁을 하고 있었다. 그해 말 예정된 제17차 당대회에서 정치국원에 오르지 못할 경우 차기 대권은 물거품이 되는 상황이었다. 하필이면 그때 천량위 전 상하이 서기 사건이 터진다. 천량위는 국가경제 발전 방식을 놓고 당 중앙과 사사건건 부딪쳤다. 당시 원자바오와 격론을 벌이기도 했는데, 탁자를 치며 총리에게 호통까지 칠 정도로 권력이 막강했다. 한데 이게 패썸죄에 걸렸다. 당 기율위는 상하이 사회복지기금 유용혐의로 천량위를 조사했고 결국 그는 낙마한다. 장쩌민의 오른팔인 천량위가 낙마하자 상하이가 동요했다. 그때 당 중앙은 저장성 서기였던 시진핑을 상하이 서기로 보내 사태를 수습하도록 지시한다. 누가 봐도 차기 대권 자질을 검증하겠다는 인사였다.

시진핑은 고민했다. 그리고 가장 먼저 자신을 도울 참모를 찾았다. 상하이시 모든 인사 자료를 검토하고 주변인들에게 조언을 구한 그는 한 사람을 주목한다. 당시 상하이시 당 조직부 부부장 겸 인사국장을 맡고 있었던 딩쉐샹이었다. 시진핑은 시 요직을 점령하고 있는 천량위 세력을 과감하게 솎아내고 그 자리에 능력 있는 인재들을 배치하지 않고서는 사태 수습이 불가능하다고 판단했다. 당시 30년 넘게 상하이시에 근무하며 인사국장을 거친 딩쉐샹은 '상하이 공직자 백과사전'이라는 별명이 붙을 정도로 개개인의 신상 정보에 정통했다. 시진핑이 애타게 찾던 인재가 바로 그였다.

'인사가 만사'라고 했다. 시진핑은 딩쉐샹에게 자신의 정치인생을 걸었다. 그리고 상하이시 서기에 취임하자마자 딩쉐샹을 시 당 위원회 판공실 주임에 임명하고 함께 인적 청산 작업에 돌입한다. 이때 딩쉐샹은 '속전속결'과 '발본색원'이라는 두 개의 행동강령을 시진핑에게 건의해 실행에 옮긴다. 천량위의 인맥을 최대한 빠르게 재기 불능 상태로 만들기 위한 전략이었다.

그렇게 시작된 숙청작업은 불과 반년 만에 대성공을 거둔다. 수년은 걸릴 줄 알았던 사태 수습이 전광석화처럼 마무리되자 후진타오와 원자바오는 시진핑의 정치국 상무위원 승진을 더 이상 반대하지 않게 된다. 당시 공청단의 좌장이었던 후진타오는 후춘화 광둥성 서기를, 관료방순수 파워 관료 출신의 정치세력을 이끌던 원자바오는 쑨정차이 전 충칭시 서기를 눈여겨보고 있었다. 그러나 상하이를 무리없이 단시간 내에 평정하고 태자당의 지원까지 받는 시진핑을 무시할 수 없었다. 딩쉐샹의 트레이드마크인 '속전속결'과 '발본색원'은 이후 시진핑의 행동강령이 된다. 상하이가 안정되자 2007년 말 열린 당 중앙위원회에서 시진핑은 정치국원에서 정치국 상무위원으로 승진하는 기존 관행을 뛰어넘어 곧바로 정치국 상무위원으로 직행한다. 이어서 당 중앙서기처 서기까지 거머쥐며 차세대 대권을 예약한다.

시진핑은 상하이를 떠날 때 그 많은 공무원 가운데 유일하게 딩쉐샹을 꼭 찍어 '탁월한 인재'라고 평가했다고 한다. 그러면서 그를 상하이에 남겨둔다. 행여 있을 수 있는 천량위 잔존세력의 도발을 경계하고 경제 도시인 상하이를 관리하기 위한 포석이었다. 그리고 2013년 3월 국가주석에 올라 모든 권력을 장악한 후에야 딩쉐샹을 베이징으로 부른다. 표면적으로 보면 시의 정법위 서기를 중앙 핵심 권력으로 발탁한 거지만 이면을 보면 수년 전부터 중앙서기처 서기 자리는 딩쉐샹을 위해 마련돼 있었던 셈이다.

속전속결, 발본색원

시진핑이 단 7개월 만에 반한 딩쉐샹은 어떤 인물일까. 그는 장쑤성 난퉁南通 태생이다. 1982년 허베이 친황다오秦皇島 시의 동북

딩쉐샹은 '속전속결'과 '발본원색'이라는 두 개의 행동강령을
시진핑에게 건의해 실행에 옮겼다.
부패 혐의로 낙마한 천량위(가운데) 인맥을
빠르게 재기 불능 상태로 만들기 위한 전략이었다.

중형기계 학원현 옌산 대학을 졸업한 그는 고향에서 가까운 상하이로 내려와 상하이 재료연구소 연구원으로 근무했다. 이후 재료연구소 소장1996~99, 상하이 자베이 구청장2002~2004, 상하이 인사 국장2004~2006, 상하이시 비서장2007~2012, 정법위 서기2012~13 등 요직을 두루 거친다. 학업에 대한 열정이 대단해 1989년에는 푸단 대학 대학원에 들어가 성리학 석사학위를 취득했다. 시진핑의 부름을 받아 베이징으로 올라가기 전까지 무려 31년 동안 상하이를 지킨 토박이 중의 토박이다. 지금도 시진핑의 상하이 통치는 딩쉐샹을 통해 이뤄진다는 말이 나올 정도다. 그의 일처리는 치밀하기로 정평이 나 있다. 엔지니어답게 행정에서 한 치의 오차도 허용하지 않는다는 게 동료들의 평가다. 여기에 필력까지 대단한 것으로 알려져 있다.

2013년 12월 말 민정 시찰차 베이징 시내 칭펑慶豊만두집을 방문한 시진핑 옆에는 단 한 사람, 딩쉐샹이 있었다. 그만큼 둘은 한 몸이다. 2015년 시진핑의 정적인 링지화 당시 통일전선공작부장을 제거할 때도 딩쉐샹의 역할이 결정적이었다. 2007년 천량위 세력 제거 때처럼 먼저 링지화의 인맥을 파악하고 단계적으로 신속하게 수백 명을 숙청한 이가 바로 딩쉐샹이다. 차기 대권 후보 가운데 한 명으로 거론됐던 쑨정차이 전 충칭시 서기의 낙마에도 딩쉐샹이 일정 부분 역할을 했을 가능성이 크다. 당 중앙위원회 후보위원이었던 그가 제19차 당대회에서 중앙위원을 넘어 정치국원으로 파격 승진한 것은 하루아침에 그리고 그냥 이뤄진 게 아니다.

하지만 그에게는 지방 성이나 직할시의 서기를 맡아 지방 행정을 해본 경험이 없다는 단점이 있다. 다시 말해 참모업무는 완벽하게 수행하고 있지만 국가 지도자로서의 리더십에 대한 검증은 이뤄지

지 않았다는 얘기다. 시진핑이 그를 지방으로 보내 리더십을 단련할
기회를 줄 가능성도 점쳐진다.

딩쉐샹 약력

- 1962년생, 고향은 장쑤성 난퉁. 푸단 대학 행정관리학과 졸업, 이학(理學, 성리학) 석사
- 1978~1982년: 동북 중장비 기계학원에 기술 학습
- 1982~1999년: 상하이시 재료연구소 직원, 주임, 연구소장
- 1999~2013년: 상하이시 과학위원회 부주임, 상하이시 구청장, 상하이시 인사국장, 상하이시 비서장, 상하이시 정법위 서기
- 2013~2017년: 중앙판공청 부주임 겸 국가주석 판공실 주임
- 2017~ : 중앙서기처 서기, 정치국원, 중앙판공청 겸 국가주석 판공실 주임

13 영원한 권력 황태자!

후춘화胡春華 중화인민공화국 국무원 부총리

시짱 근무를 자원하다

중국 권력에는 여러 묵계가 있다. 예컨대 '7상8하', 격대지정隔代
指定, 현 지도부가 차차기 지도자를 결정, 원로에 대한 예의 등이다. 2017년
10월에 열린 제19차 당대회를 앞두고 가장 관심을 끌었던 묵계는
'7상8하'다. 시진핑이 감행한 부패척결을 도와 그의 1인 권력을 완
성시킨 일등공신인 왕치산 전 당 기율위 서기의 나이가 69세가 되
었기 때문으로 모두 그가 정치국 상무위원의 자리를 지킬 수 있을
지 궁금해했다. 묵계는 흔들리지 않았고 왕치산은 퇴직했다. 물론
그는 국가부주석으로 되돌아왔고 정치국 상무위 회의에 참석할 수
있는 특권도 누리지만 형식적으로나마 '7상8하' 관례는 지켜진 것
이다.

하지만 격대지정은 폐기되고 말았다. 덩샤오핑은 장쩌민을 발탁
한 후 그 후계자로 후진타오를 지정했고, 장쩌민은 후진타오의 후계

자로 시진핑을 찍었다. 여기까지는 문제가 없었으나 후진타오가 염두에 둔 후춘화胡春華, 1963~ 현 부총리가 제19차 당대회에서 새로 선임된 5명의 정치국 상무위원에 들지 못한 것이다. 시진핑의 1인 지배체제가 강화된 결과로 후진타오가 집권한 10년간 '리틀 후', 즉 '리틀 후진타오'로 불리며 '황태자'로 군림했던 후춘화의 대권 야망은 다시 원점으로 돌아갔다. 후진타오가 찍었던 후춘화, 그는 과연 어떤 인물일까.

우선 이런 가정을 해보자. 서울대학을 수석 졸업한 한 학생이 고시에도 우수한 성적으로 합격해 공무원이 됐다. 정부가 중앙의 좋은 자리로 발령을 내려고 하는데, 글쎄 이 친구가 손을 번쩍 들더니 "저를 강원도 산간 외지 군수로 보내주세요"라고 한다. 귀를 의심한 정부 인사 관계자가 놀라 다시 말해도 황소고집이다. 결국 그는 험한 산골 외지로 표표히 사라진다. 세상 사람들은 그를 "미쳤다"라고 할 것이다. 한데 실제로 그런 일을 한 이가 후춘화다. 1983년의 일이다.

그는 베이징 대학 중문과를 수석 졸업했다. 재학 시절 공청단 활동을 한 덕에 당의 호출을 받았다. 당 간부 자격을 얻은 것이다. 당 관리가 그에게 말했다. "앞으로 국가를 위해 큰일을 해야 하니 가고 싶은 곳이 있으면 어디든 말하라." 그러자 그는 "시짱西藏, 티베트으로 보내주세요"라고 답했다. 놀란 당 간부가 재삼 물어도 그의 답은 한결같았다.

시짱이 어딘가. 1980년대의 그곳은 한국의 1950년대 생활수준에도 미치지 못할 정도로 환경이 열악했다. 그뿐인가. 독립세력이 시도 때도 없이 중국 관공서를 공격해 생명마저도 위협받는 산간오지였다. 그를 지도했던 중문과의 탕쭤판唐作藩 교수는 훗날 "후춘화는

" 끝까지 꿈을 포기하지 마라,
착실하게 일하라,
쉼 없이 독서하라. **"**

시진핑의 측근들과 치열한 후계경쟁을 해야 하는 후춘화

성적이 우수해 베이징에서 일자리를 찾을 수 있었고, 대학원 진학도 가능했지만 시짱 근무를 강력하게 요청했다. 당시 그는 매일 민족학원에 가서 시짱어를 공부했을 뿐만 아니라 시짱에서의 생존을 위해 매일 신체 단련에도 힘을 썼다"고 회고했다.

그는 왜 꽃길이 보장되는 대도시의 좋은 보직을 놔두고 그 험한 곳을 자청했을까. 꿈과 야망을 위한 역발상이었다. 꿈을 이루기 위해서는 좋은 보직을 받고 권력이 있는 상관을 만나야 한다는 성공 방정식을 깼다는 뜻이다. 열악한 환경에서 현장 경험을 키우고 스스로를 매섭게 단련해야 더 높은 곳에 오를 수 있다는 그의 신념은 적중했다.

1980년대 중국에서 대학 졸업생은 희귀한 존재였다. 특히 베이징 대학 졸업생은 천연기념물 대우를 받았다. 그들을 '천지교자'天之驕子라 불렀을 정도다. 이 말은 『한서』 「흉노전」에서 나온다. 북방 유목민족인 흉노가 한나라 황제 앞에서 스스로를 칭한 말로 교만한 사람, 하늘의 총아란 뜻이다. 황제를 상대로 한 말이니 그 존귀함은 두말해 무엇하랴.

이런 천지교자가 그 험한 시짱 근무를 자청했으니 핫뉴스였다. 후춘화의 소식은 곧바로 당 기관지인 『광명일보』 1면에 실린다. 이어 『인민일보』『신화통신』, CCTV가 연달아 그를 대서특필한다. 현지 부임도 하기 전에 후춘화는 중국의 희망이자 미래가 됐다.

시짱어로 소통하다

후춘화는 한 걸음 더 나아간다. 1983년 7월 18일 베이징 인민 대회당에서 수도 대학 졸업생 대회가 열렸는데 후춘화는 학생을 대표해 이런 발언을 한다. "중국은 다민족 국가다. 소수민족자치구는 전 국토의 60퍼센트를 차지하며 대부분 국경지대에 있다. 소수민족 자 치구는 크게 할 일이 많은 곳이다. 나의 고향 역시 내륙의 소수민족 자치구다. 만일 개혁개방과 빠른 발전을 통해 현대화되지 못했다면 나는 지금까지도 폐쇄된 산골짜기에서 농사짓고 있었을 것이다. 한 민족漢民族이 현대화됐다고 중화민족 전체가 현대화됐다는 의미는 아니다."

뉴스로 이 소식을 들은 덩샤오핑 등 당시 중국 최고 지도부가 손 뼉을 치며 좋아했다고 하니 황태자는 그렇게 만들어지고 있었다. 티 베트에 들어간 후춘화는 공청단 시짱자치구위원회 조직부, 『시짱청 년보』, 시짱 호텔 등에서 근무하며 민초들과 함께한다. 이후 20여 년 동안 그는 항상 시짱 현장에 있었다. 중국 지도부가 가장 걱정하는 시짱 독립을 저지하기 위해 최전선 GP감시초소 역할을 자청했다.

그는 24세였던 1987년 공청단 시짱자치구위원회 부서기에 오른 다. 지방의 현장급, 중앙의 과장급 직위였다. 그리고 서울올림픽이 있었던 1988년, 그는 권력의 스승이자 동지를 만난다. 바로 후진타 오다.

후진타오가 구이저우성 서기에서 시짱 서기로 부임해온 바로 그 해 시짱에서 대규모 독립시위가 벌어진다. 덩샤오핑을 비롯한 중국 권력 핵심부에게는 후진타오가 어떻게 그 시위를 무리 없이 수습하 는지가 초미의 관심사였다. 모범생 같았던 후진타오는 단호했다. 곧 바로 무력을 동원해 시위를 강력 진압했는데 이때 후춘화는 후진타 오의 비서실장 역할을 하며 시위진압에 일등공신이 된다. 덩샤오핑 은 시위를 효과적으로 진압한 후진타오를 눈여겨봤다가 후에 장쩌민의 후임으로 낙점한다. 시위진압 과정에서 손발을 맞춘 두 후胡는 일약 중국 정계의 스타로 부상했다.

후진타오 역시 후춘화를 콕 찍는다. 후춘화는 미래 리더에게 필요한 덕목을 골고루 갖추고 있었다. 후진타오는 1992년 정치국 상무위원이 되어 베이징으로 돌아가면서부터 후춘화의 벼슬길을 챙기기 시작한다. 후춘화가 '리틀 후'라는 별명을 얻은 이유다.

이후 그의 벼슬길은 신기록의 연속이다. 27세였던 1990년 그는 부국장급인 공청단 시짱자치구 부서기로 승진한다. 그리고 2년 후에는 시짱의 스위스로 불리는 린즈林芝지구 행정공서부전문위원부시장에 해당에 오른다. 또 9개월 후에는 시짱 공청단 서기로 다시 한번 승진하는데, 모두 중국 관료 사회에서 전례를 찾을 수 없는 최연소 기록이다.

32세에는 국장급 지위에 올랐고 이것 역시 공산당사에 남을 기록이다. 시짱 근무기간 동안 후춘화는 75개 현과 시 가운데 50곳을 직접 찾았고 200여 향과 진을 방문한다. 관련 규정에 따르면 티베트에서 근무하는 관리는 2년마다 3개월간 휴가를 사용할 수 있지만 그는 거의 휴가를 가지 않았다. 대신 오지를 찾아 유창한 시짱어로 주민들과 소통하고 불편사항을 경청했다. 당연히 주민들은 그에게 절대적인 지지를 보냈다.

위기로 인정받은 리더십

1997년 12월 후춘화는 공청단 중앙서기를 맡았는데 당시 그의 나이는 34세로 전국 최연소 차관급 관리였다. 후진타오도 공청단 중앙서기를 했었다. 이렇게 후춘화는 후진타오를 중심으로 한 공청단

2008년 싼루 멜라민 우유사건.
싼루그룹에서 생산한 멜라닌이 검출된 분유를 먹고
신장 및 요로결석에 걸리는 영유아들이 속출했다.
후춘화는 사건의 원인을 뿌리 깊은 관상결탁에 있다고 보고
그 악폐 뿌리 뽑기에 나섰다.

파의 핵심 인사가 된다. 그렇다고 그의 벼슬길이 항상 탄탄대로였던 것만은 아니다. 허베이성 부서기 겸 대리성장으로 근무하던 2008년 6월 란저우蘭州시 해방군 제1의원에서 신장 결석에 걸린 유아가 입원했다. 유아는 허베이 스자좡 소재 싼루三鹿그룹이 만든 분유를 먹은 것으로 밝혀졌다. 7월 중순 간쑤성 위생청은 유아 신장결석증 조사 결과를 위생부에 보고했는데 전국에서 싼루 분유를 먹고 비슷한 증세를 보인 유아가 수백 명이 넘었다. 이른바 중국 식품업계를 쑥대밭으로 만든 '싼루 멜라민 우유사건'으로 우셴궈吳顯國 스자좡시 서기가 면직된다.

후춘화는 사건의 원인을 뿌리 깊은 관상官商 결탁에 있다고 보고 그 악폐 뿌리 뽑기에 나선다. 그러나 정가에서는 후춘화 책임론이 번져나갔다. 그를 당장 구속하라는 여론도 만만치 않았다. 물론 후진타오 당시 국가주석과 리커창 정치국 상무위원이 후춘화에게 책임을 물을 수 없다며 반대했다. 저질 분유 사건 하나로 20년 넘게 단련시킨 자신의 후계자를 잃을 수 없다는 게 당시 후진타오의 생각이었다.

위기는 또 있었다. 네이멍구內蒙古 서기였던 2011년 5월 시린궈러 멍錫林郭勒盟, 盟은 군급 행정단위의 시우치西烏旗, 旗는 盟의 하위 행정단위 초원에서 유목민 모르건莫日根이 탄광 수송차량에 치여 사망하는 사고가 발생한다. 조사를 해보니 단순한 교통사고가 아니라 광산개발 업체와 유목민 간의 갈등에서 비롯된 사건이었다. 이 사건은 초대형 유목민 항의 시위로 번졌고 후춘화의 리더십은 다시 시험대에 올랐다. 당시 후춘화는 불가리아 등 동구권을 순방하는 중이었는데 일정을 단축하고 후허하오터呼和浩特로 돌아와 사건 수습에 나선다. 그는 현장으로 내려가 주민들과 대화를 나누고 차량을 운전한 범인을 법률에 따라 엄벌하겠다고 약속한다. 광산개발과 관련해서도 광산개발과 군중이익 사이에서 어느 한쪽으로 치우치지 않고 공정하고 정확하게 행정절차를 밟겠다는 약속도 한다. 그는 약속을 지켰고 위기는 그에게 기회가 됐다. 이 사건을 전화위복의 기회로 삼아 리더십을 다시 인정받게 된 것이다. 그는 마침내 2012년 11월 영도자 반열이라는 정치국원에 오른다. 그리고 한 달 뒤 중국 최고의 부자 성인 광둥성 서기를 맡는다.

그의 어린 시절은 어땠을까. 후춘화는 1963년 후베이湖北성 우펑五峰 투자土家족 자치현의 전형적인 농가에서 7남매 가운데 4남으로 태어났다. 고향은 삼협댐 부근으로 평균 해발고도가 1,500미터에 이르는 산골이었다. 그의 아버지 왕밍준王明俊은 마을의 하급 관리였고 어머니 후장메이胡長梅는 마을의 부녀대를 이끌었다. 후춘화는 어려서부터 총명했다. 중학교는 집에서 4킬로미터, 고등학교는 6.5킬로미터 떨어져 있었지만 가계부담을 덜기 위해 항상 걸어서 등하교했다. 그는 제대로 된 고무신이 없어 짚신을 신고 학교에 다녔는데 매년 헤어진 짚신이 한 무더기였다고 한다.

점심은 매일같이 고구마로 허기를 달랬다. 하지만 성적은 항상 1등을 놓치지 않았다. 16세였던 1979년 그는 베이징 대학 중문과에 합격했는데 문과 부분 현縣 전체 수석이었다. 대학 시절 후춘화는 학교에서 나이가 가장 어리고 키도 작은 학생이었다. 그러나 그는 특출난 장점 3가지가 있었다. 바로 영리한 두뇌, 근면, 끈기였다. 그가 수석으로 졸업할 수 있었던 비밀무기 3종 세트라고 할 수 있다. 개천의 용은 그렇게 성장했다. 이렇게 웅비하는 와중에 시진핑이라는 거대한 산을 만났다. 그는 지금 기로에 섰다. 그를 보호하고 황태자로 대우했던 후진타오는 퇴직했다. 향후 5년, 아니 10년 동안 시진핑의 측근들과 치열한 후계경쟁을 해야 하는 출발선에 선 것이다. 특히 시진핑이 주목하고 있는 천민얼, 리창 등과의 한판 승부는 불가피해 보인다. 후춘화가 영원한 황태자에 머물지, 아니면 그동안 자신의 시련과 역경을 담금질해 대권의 기회를 잡을지가 최고 관전 포인트다. 한데 그 답이 2007년에 한 어느 기자회견에서 이미 나왔는지도 모르겠다. 청소년들에게 한마디 해달라는 기자의 질문에 그는 이렇게 말했다. "끝까지 꿈을 포기하지 마라, 착실하게 일하라, 쉼 없이 독서하라."

후춘화 약력

- 1963년생, 고향은 후베이성 우펑, 베이징 대학 졸업
- 1983~1997년: 공청단 시짱자치구 간부, 시짱청년보 간부, 공청단 시짱자치구 서기, 산난(三南) 지구위원회 부서기
- 1997~2001년: 공청단 중앙서기처 서기, 전국 청년연맹 부서기
- 2001~2006년: 시짱자치구 비서장, 부서기
- 2006~2008년: 공청단 제1서기
- 2008~2009년: 허베이성 부서기, 성장
- 2009~2012년: 네이멍구 서기
- 2012~2017년: 정치국원, 광둥성 서기
- 2017~ : 정치국원
- 2018~ : 부총리

14 공안 권력 꿰찬 알루미늄의 달인
궈성쿤郭聲琨 중국공산당 중앙정법위 서기

금속의 달인, 정법위 서기가 되다

이런 가정을 한번 해보자. 한국에서 경찰이나 검찰 경력이 전무한 기업인이 갑자기 경찰과 검찰 그리고 사법부를 책임지는 자리에 오른다면 어떤 일이 벌어질까. 청와대를 향해 "미친 거 아냐" 하는 비난이 쏟아질 것이다. 여기에 경찰이나 검찰, 사법부 내 반발도 엄청날 것이다. 그러나 중국에서는 실제로 이런 일이 일어난다. 그래도 반발은커녕 오히려 그에게 국가를 잘 경영해달라고 격려를 보낸다. 물론 반발하기 힘든 현실도 고려해야 하지만 이는 무엇보다 경력이나 스펙보다 실제 능력을 보고 사람을 쓰는 실용주의 용인술문화가 자리 잡고 있어 가능한 일이다.

가장 최근의 사례가 바로 궈성쿤郭聲琨, 1954~ 정치국원 겸 정법위 서기다. 공안과 사법, 안전부를 총괄하는 자리다. 하지만 놀랍게도 그는 공안 근처에도 가본 적이 없는 공안 맹인이다. 대신 금속업계에서 25년간 잔뼈가 굵은 '금속의 달인' '알루미늄의 달인'이다. 평생 금속만 만지고 광산을 쫓아다니던 그가 어떻게 정법위 서기라는 엄청난 권력을 차지할 수 있었을까. 무슨 비사秘史가 있을 것 같지만 이유는 의외로 단순하다. 결단력과 추진력이다.

그가 정법위 서기를 도와 공안을 지휘하는 공안부장에 임명된 건 2012년 12월의 일이다. 시진핑이 당 총서기로 선출된 지 보름 정도 됐을 즈음이다. 당시 시진핑은 재야의 능력자를 찾아 공안부를 맡길 생각이었다. 우선, 그와 대척점에 있었던 저우융캉 전 정법위 서기와 그 세력에 대항할 수 있는 합리적 공격수가 필요했다. 당시 공안부 내부의 핵심 인사는 대부분 저우융캉의 사람이어서 믿을 자가 그리 많지 않았다. 그리고 저우융캉이 구축한 공안 권력 시스템에 대한 대대적인 개혁도 시급했다. 이 때문에 공안부와 관시가 없는, 오로지 개혁만을 위한 돌격대장이 필요했다. 시진핑이 취임하기 전까지는 정치국 상무위원인 정법위 서기가 공안 권력의 최고 통수권자였다. 저우융캉은 2002년부터 무려 10년간 공안부장과 정법위 서기 등을 거치며 공안부 내 모든 요직을 자기 사람으로 채우고 시진핑의 총서기 등극을 막으려 했다. 시진핑은 저우융캉 세력을 부패혐의로 모두 처리한 후 정법위 서기 직위를 정치국 상무위원에서 정치국원으로 낮췄다. 그리고 정법위 서기가 공안부장을 지휘해 공안 권력을 행사하되 실질적인 결정권은 시진핑이 쥐도록 했다. 2018년 초에는 공안부의 지휘를 받던 무장경찰을 군 지휘체계하에 넣어 시진핑이 직접 지휘하고 있다.

이런 배경에서 시진핑이 찾은 인물이 궈성쿤이다. 당시 그는 금속 업계를 떠나 광시 좡족자치구 서기로 있었다. 그 많은 인물 중에 시

" 상황이 어렵다고 할 일을
미루면 리더의 존재가치는
어디에 있느냐. "

금속의 달인, 공안의 달인 궈성쿤

진핑은 왜 궈성쿤을 선택했을까. 궈성쿤의 인생역정을 둘러봐야 의문이 풀린다.

금속업계의 영웅이 되다

궈성쿤은 장시江西성 싱궈興國가 고향이다. 어릴 적 집안 형편은 좋지 않았지만 과학과 수학에 뛰어난 재능을 보여 베이징 과학기술대학에 진학했다. 거기서 관리과학과 공정엔지니어링을 전공했다. 그리고 1977년 야금부冶金部 기술자로 사회에 첫발을 내디딘다. 그는 1979년 장시성 화메이아오畵眉坳의 텅스텐 광산에서 현장기술원으로 일하고 이후 같은 광산의 광업소장, 장시성 구이시貴溪의 은광 서기, 중국 유색금속 난창南昌 분사 사장1993, 중국 유색금속 총공사 부사장1997 등 요직을 두루 거친다. 그의 초고속 승진은 야금에 대한 타의 추종을 불허하는 전문지식, 불도저 같은 추진력이 있어 가능했다. 이후 2004년 광시 좡족자치구 부서기로 부임하기 전까지 무려 25년간 비철금속이라는 한 우물만 팠다.

그는 중국 최대의 알루미늄 업체인 중국 알루미늄 주식유한회사中國鋁業, Chalco, 찰코의 설립자라고 해도 과언이 아니다. 찰코는 중국 내 최대 유색금속 생산업체로 현재 산화알루미늄, 전해알루미늄, 알루미늄 가공재료 생산에서 전 세계적으로 수위를 다투고 있다. 중국 정부는 2000년 국가 비철금속 공업국의 주도로 알루미늄 전문 업체를 설립하기로 하고 유색금속 분야에서 잔뼈가 굵은 궈성쿤을 창립 준비 위원장으로 영입했다. 궈성쿤은 광시 투자회사와 구이저우 투자회사의 투자를 받아 2001년 2월 찰코를 설립하고 초대 총경리를 맡는다. 당시 궈성쿤은 찰코를 뉴욕과 홍콩에 상장시켜 확보한 자금

중국 알루미늄 주식유한회사. 궈성쿤은 중국 최대의 알루미늄 업체인
중국 알루미늄 주식유한회사의 설립자라고 해도 과언이 아니다.
그는 뛰어난 리더십을 발휘해
2001년 12월 뉴욕 증시 상장에 성공한다.
이는 9·11테러 이후 뉴욕 증시에 상장된 최초의 기업이었다.

으로 광시 쫭족자치구와 구이저우에 알루미늄 광을 대대적으로 개발하려고 했다. 그리고 해외 진출에 대한 장기 플랜도 탄탄하게 세워놓은 상태였다.

국영기업인 만큼 상장작업은 순조로웠다. 하지만 해외 IR기업설명회 로드쇼를 앞두고 9·11테러가 터지면서 모든 게 헝클어지기 시작했다. 전 세계 주가가 곤두박질쳤고 시장은 공포감으로 가득했다. 주관사인 모건스탠리는 이런 상황에서 상장할 경우 시가총액이 총자산가에도 못 미칠 것이라면서 상장 연기를 제안했다. 그러나 궈성쿤은 일언지하에 거절하고 상장을 강행했다. "상황이 어렵다고 할 일을 미루면 리더의 존재가치는 어디에 있느냐"라고 되물었다고 한다.

9·11테러 두 달 후인 2001년 11월 그는 예정대로 로드쇼를 강행한다. 예상대로 상황은 최악으로 치달았다. 찰코의 파트너사로 8퍼센트의 지분을 보유하고 있던 미국의 알루미늄 업체 알코아^{Aloca}는 직원 6,500명을 감원하는 극단적 조치까지 취했다. 로드쇼 3일째에는 메릴린치가 알루미늄 가격 전망을 대폭 낮추기까지 했다. 세계 알루미늄 가격은 바닥을 쳤고 회생 가능성은 없어 보였다. 그래도 궈성쿤은 포기하지 않았다. 해외 투자자들을 일대일로 만나 설득하기 시작했다. 하루에 아홉 번의 투자회의를 강행할 정도였다. 19일 동안의 로드쇼 기간 내내 모든 투자자를 일대일로 만나 설득했고 마침내 그해 12월 뉴욕 증시 상장에 성공한다. 9·11테러 이후 뉴욕 증시에 상장된 최초의 기업이었다. 상장 후 그는 투자자들에게 약속한 대로 대대적인 광업투자를 통해 찰코를 반석 위에 올려놓는 데 성공했다.

이후 그는 금속업계의 영웅으로 부상하고 2004년 광시 좡족자치구 부서기로 정치권에 진입한다. 주민들은 경제를 잘 알고 특히 광시 좡족자치구의 주요 산물인 알루미늄에 대한 전문지식이 있는 궈성쿤을 대대적으로 환영했다. 광시 좡족자치구는 알루미늄은 물론 망간manganese 매장량도 중국 1위고 석회암, 주석, 수정, 납 등의 광물자원도 풍부한 지역이다. 2007년 광시 좡족자치구 서기에 오른 그는 전임 서기 류치바오 현 정협 부주석과도 인연을 맺게 된다.

기업인 출신답게 그의 실적은 혁혁하다. 투자와 광산 개발에 열을 올렸는데 2011년 9월에는 한국을 방문해 풍부한 지하자원을 홍보하기도 했다. 2007년 5,885억 위안이었던 광시 좡족자치구의 지역총생산은 2008년 7,171억 위안, 2009년 7,700억 위안을 기록했고 그가 공안부장으로 부름받아 떠난 2012년에는 무려 1조 3,000억 위안약215조 원을 기록했다.

시진핑 총서기가 궈성쿤을 중용한 데는 여러 이유가 있다. 그중에는 궈성쿤이 쩡칭훙 전 국가부주석과 친척 관계라는 확인되지 않은 소문도 포함돼 있다. 그러나 9·11테러 이후 최악의 환경에서 찰코를 뉴욕 증시에 상장시킨 그의 뚝심과 추진력을 가장 높이 산 것만은 분명하다. 공안부장에 오른 궈성쿤은 시진핑의 기대에 200퍼센트 보답하고 있다. 당 기율위와 함께 저우융캉 체포와 구금 그리고 공안부 내 저우융캉의 인맥 제거를 조용하게 해낸 것이다. 역대 최고의 공안부장이라는 평가까지 받았다. 좌고우면 않고 능력만 보고 찾아낸 '공안 맹인'이 최고 권력의 친위대이자 보루가 될 줄은 시진핑도 몰랐을 것이다. 그렇게 궈성쿤은 2017년 10월 열린 제19대 당대회에서 정치국원과 함께 정법위 서기 자리에 올랐다.

귀성쿤 약력

- 1954년생, 고향은 장시성 싱궈현, 베이징 과학기술대학 관리과학과 공정과
  졸업, 관리학 박사
- 1973~1977년: 장시성 싱궈현 지식청년
- 1977~1985년: 장시성 야금학원 수학, 야금부 기술원, 생산 부주임, 주임
- 1985~2000년: 중국 유색금속 공업총공사 공장장, 당위원회 서기, 부총경리,
  국가유색금속 공업국 부국장
- 2000~2004년: 국무원 국유중점대형기업 감사회 주석, 중국 알루미늄공사
  총경리, 당위원회 서기
- 2004~2012년: 광시 쫭족자치구 부서기, 서기
- 2012~2013년: 공안부장
- 2013~2017년: 정법위 부서기, 서기, 국무위원, 공안부장, 무장경찰부대
  제1서기
- 2017~ : 정치국원, 중앙서기처 서기, 국무위원, 정법위 서기, 무장경찰부대
  제1서기

15   푸젠 권력의 대부

차이치^{蔡奇} 베이징시 서기

시진핑의 경제교사

'로켓 승진', 중국 언론의 첫 반응은 이랬다. 얼마나 승진을 빨리 했기에 당 지침대로 기사를 쓰는 중국 언론조차 이런 표현을 썼을 까. 말 그대로 '쇼킹' 인사였다. 2017년 5월, 평당원에서 베이징 시 서기에 오른 차이치^{蔡奇, 1955~} 얘기다. 그는 그해 10월에 열린 제 19차 당대회에서 정치국원으로 임명된다. 차이치처럼 평당원 출신 이 수도 베이징 서기는 물론 영도자 반열인 정치국원으로 발탁된 건 전례가 없는 일이다. 중국공산당은 '평당원→중앙 후보위원→ 중앙위원→정치국원→정치국 상무위원'의 순으로 권력서열이 올 라간다.

차이치는 도대체 어떤 인물이기에 이렇게 시진핑의 총애를 받는 걸까. 혜성처럼 나타나 벼락출세를 하다 보니 그에 대한 정보는 중 국 언론을 뒤져도 찾기 힘들다. 한데 그의 공직역정을 추적해보면 그럴 만한 이유를 발견할 수 있다. 그는 대표적인 '시자쥔'이다. 시진핑이 최고 권력에 오른 후 쓰기 위해 꼭꼭 숨겨둔 측근 중의 측근이다. 현재 중국 권력의 핵심 요직 대부분은 시진핑이 지방 근무 시절 눈여겨봐뒀던 인재들이 차지하고 있다.

그는 푸젠성 유시尤溪 태생이다. 1973년 푸젠 사범대학을 졸업하고 같은 학교에서 경제학 박사학위까지 받은 학구파다. 그리고 1978년 푸젠 사범대학 당위원회에서 사회생활을 시작했다. 그가 푸젠성 당위원회에 들어가 본격적으로 공직에 몸담은 건 1983년의 일이다. 당시 푸젠성 정부 공직자 가운데 경제학 박사는 열 명이 채 안 됐다. 당연히 성 정부 관계자들이 그를 주목했다. 그리고 2년 후 그는 성 당위원회 부처장에 오른다. 시진핑이 막 샤먼시 부시장에 올라 푸젠성과 인연을 쌓기 시작한 때였다. 시진핑은 이후 푸젠성 푸저우시 서기1993~95, 푸젠성 부서기1995~99, 푸젠성 대리성장1999~2000, 푸젠성 성장2000~2002을 거친다. 무려 17년간 푸젠성에서 근무한 시진핑은 군과 행정 등 각 부문의 인재를 발굴하고 이들을 관리했다. 이때 차이치는 푸젠성 정치개혁위 부주임과 주임1991~93, 성 당위원회 부주임1993~96, 산밍三明시 부서기와 시장1996~99을 거치며 시진핑의 경제교사 역할을 한다. 둘이 푸젠성에서 약 14년 동안 동지애를 다졌다는 게 중국 언론의 분석이다. 물론 경제학 박사인 차이치의 경제강의에 시진핑은 매료됐다.

둘의 관계는 여기서 끝나지 않는다. 1999년 차이치는 저장성 취저우衢州 시장으로 옮겨가는데 3년 후인 2002년 시진핑이 저장성 대리성장에 오르면서 둘의 관계는 4년간 더 지속된다. 일부에서는 시

" 성공하기는 어렵지만
잘못하면 쉽게 무너지는 게
정치권력의 이면. **"**

대표적인 '푸젠방'인 차이치

진핑이 차이치를 미리 저장성으로 보내 성내 사정을 파악하도록 배려했다는 말까지 한다. 둘의 개인적인 인간관계도 진화하고 발전했다. 사석에서는 차이치가 두 살 위의 시진핑을 형이라 불렀을 정도다. 시진핑은 집권 초 차이치를 저장성 부성장으로 승진시킨 뒤 2014년에 신설된 국가안전위원회 판공청 부주임으로 발탁해 베이징으로 불러들인다. 중국판 국가안보회의NSC 격인 국가안전위의 요직을 관련 경험이 없는 차이치에게 맡긴 걸 보면 시진핑이 그를 얼마나 신임하는지 알 수 있다. 사실 이때까지만 해도 차이치가 그렇게 대단한 존재인지는 외부에 거의 알려지지 않았다.

SNS로 소통하는 정치인

중국 정가에서 차이치는 'Mr. 투명'이라 불린다. SNS를 활용해 시정을 투명하게 공개하고 주민들과 소통하기 때문이다. 실제로 그는 중국 정치인 가운데 드물게 아이폰과 아이패드를 사용한다는 사실을 숨기지 않는다. 또 미국 정치 드라마 「하우스 오브 카드」House of Card를 즐겨보는 것으로 알려져 있다. 성공하기는 어렵지만 잘못하면 쉽게 무너지는 정치 권력의 이면을 다룬 드라마다. 한번 잘못하면 나락으로 떨어지는 중국 권력도 마찬가지다. 그 부침을 뛰어넘을 처세술과 생존법을 다듬기 위한 취미일 것이다. 2010년 저장성 조직부장으로 일할 때는 "술을 못하는 공무원 아들이 회식과 접대로 매일 만취해 돌아온다"는 한 어머니의 하소연을 접하고는 그 아들의 보직을 바꿔줬다는 일화도 있다. SNS를 통한 주민들과의 소통을 일상화했기 때문에 가능한 일이다.

시진핑의 강력한 신임을 얻고 있지만 차이치의 앞길이 탄탄대로

베이징은 최악의 스모그 도시로 악명을 떨치고 있다.
베이징의 대기오염 수치는 2018년에 들어 전보다 나아지기는 했지만
아직도 세계보건기구 대기환경기준에는 한참 못 미친다.
차이치는 시진핑의 강력한 신임을
얻고 있지만 수도 베이징의 환경문제를
해결해야 한다.

인 것만은 아니다. 수도 베이징이 안고 있는 문제가 산적해 이를 해결하지 못할 경우 벼락출세가 오히려 독이 될 수도 있기 때문이다. 우선 고질적인 환경 문제가 있다. 베이징은 중국의 고도古都이자 수도로서의 명성보다 최악의 스모그 도시로 악명을 떨치고 있다. 베이징의 대기오염 수치는 2018년에 들어 이전보다 나아지긴 했지만 아직도 세계보건기구의 대기환경기준에는 한참 못 미친다. 시진핑은 환경 부장이었던 천지닝陳吉寧을 베이징시 시장으로 보내 차이치 서기를 돕도록 배려하고 있다. 베이징 스모그 문제가 서기나 시장이 바뀐다고 하루아침에 해결될 문제가 아닌 것은 중국인들도 다 알고 있다. 다만 어느 정도 성과를 내느냐에 따라 그의 벼슬길 운명도 달라질 것이다. 지지부진한 징진지 계획京津冀, 베이징과 톈진, 허베이성을 하나의 경제 벨트로 묶는 프로젝트도 성과를 내야 한다. 허베이성 슝안 지역에 새로 지정된 국가급 경제특구, 슝안 신구雄安新区의 개발과 성공도 차이치의 몫이다. 어느 것 하나 녹록치 않은 난제들이다. 돌발 변수는 다른 곳에도 있다. 2017년 11월 트럼프 미국 대통령의 중국 방문 기간 중 베이징 외곽 농민공농민 출신 도시노동자 거주 지역에서 화재가 발생해 19명이 사망했다. 이후 시 당국은 추가 화재 예방을 이유로 현지 농민공들에 대한 강제이주를 추진했고 농민공들이 반발하면서 소요사태로 악화됐다. 언론보도는 통제됐지만 SNS가 가만있지 않았다. 베이징 대학과 칭화 대학 등의 대학생들이 관련 소식을 인터넷에 올렸고 분노한 시민들은 차이치 서기의 퇴진을 요구했다. 사건을 보고받은 시진핑은 화재에 대한 행정적 대처가 미비했던 점과 농민공들을 배려하지 않은 강제이주방침에 격노한 것으로 알려졌다. 믿었던 최측근의 전근대적 행정에 실망감이 컸을 것이다. 이후 중국의 정치분석가들은 차이치가 다시 한번 같은 실수를 반복할 경우 그의 권력이 위태로울 수 있다고 진단한다. 시진핑은 아무리 측근이라도 일단 문제가 발견되면 가차 없이 내치는 것으로 유명하다. 실제로 시진핑의 최측근으로 알려졌던 황싱궈黃興國, 1954~ 전 톈진시 대리 서기도 수뢰혐의가 사실로 밝혀지자 즉각 사법처리했다. 2017년 7월 기소된 그는 12년 형을 선고받았다.

차이치 약력

• 1955년생, 고향은 푸젠성 유시현, 푸젠 사범대학 경제법학과 졸업, 경제학 박사
• 1973~1975년: 푸젠성 융안(永安)현 지식청년
• 1975~1983년: 푸젠성 사범대학 수학, 당 판공실 간부
• 1983~1993년: 푸젠성 당위원회 부처장, 비서, 정치개혁 판공실 부주임
• 1993~1999년: 푸젠성 당위원회 판공실 부주임, 산밍시 부서기, 산밍 시장
• 1999~2010년: 저장성 취저우 서기, 항저우 시장
• 2010~2016년: 저장성 조직부장, 저장성 부성장, 국가안전위원회 판공실 부주임(장관급)
• 2016~2017: 베이징시 시장, 2022 베이징 동계올림픽위원회 주석, 베이징시 서기
• 2017~ : 정치국원, 베이징시 서기, 2022 베이징 동계올림픽위원회 주석

16 권력과 맺은 '도원결의'

리시李希 광둥성 서기

최고의 부자 성 광둥성을 차지하다

중국 파워엘리트들의 미래 권력을 예측할 때 좋은 방법이 하나 있다. 그의 벼슬길에 직할시 수장 경력이 있는지를 보는 것이다. 중국의 4대 직할시, 즉 베이징시, 상하이시, 텐진시, 충칭시 서기는 대부분 정치국원을 겸하고 있기 때문이다. 여기에 추가되는 지역이 하나 있는데 바로 광둥성이다. 광둥성 서기 역시 대부분 정치국원을 겸한다. 중국 최고의 부자 성인 광둥성을 이끌어본 리더십의 깊이, 개혁개방의 선두주자라는 상징성과 자부심, 중앙정부에 대한 성 주민의 독립적 성향 때문이라고 한다. 그래서 광둥성 서기는 아무에게나 돌아가는 자리가 아니다. 최소한 최고 권력자의 최측근이거나 차기 정치국 상무위원 후보로 모든 파벌에 인정받는 인물이 맡는다. 장더장張德江, 1946~ 전 전인대 상무위원장, 왕양 부총리정치국 상무위원, 후춘화 정치국원 등이 모두 광둥성 서기를 거친 리더들이다. 시진핑 집권 2기2017~22의 첫 번째 광둥성 서기가 된 리시李希, 1956~ 에 주목해야 하는 이유다.

2016년 중국 광둥성의 지역총생산은 7조 9,512억 위안약 1,342조 원 이었다. 이는 같은 해 한국의 국내총생산약 1,696조 원의 79퍼센트 수준이다. 중국 한 개 성의 경제규모가 세계 12대 경제대국인 한국의 국내총생산에 육박하는 것이다. 물론 중국 성과 직할시를 통틀어도 광둥성을 넘는 경우는 없다. 그만큼 중국 경제에서 광둥성이 차지하는 비중과 의미는 크다.

시진핑 1인 천하 시대에 광둥성을 차지한 리시의 전직은 랴오닝성 서기다. 상대적으로 세간의 주목을 덜 받고, 경제적으로 유복하지 못한 동북 지방의 서기가 중국 제1성인 광둥성 서기로 직행하는 경우는 전례 없는 일이다. 이런 파격적인 인사의 배경에는 세간에 알려지지 않았던 이야기나 배경이 있기 마련이다.

강력한 반부패 정책

리시는 중국에서 가장 가난하고 소외된 지역 가운데 하나인 간쑤성 량당兩當 출신이다. 어릴 적 집이 너무 가난해 고구마로 연명하는 날이 대부분이었다고 한다. 그는 1976년 문혁이 끝나고 고졸 자격으로 간쑤성 교문국에 들어가 공직생활을 시작했다. 그리고 1978년 당시 서북 지역의 최고 명문대학이었던 서북 사범학원 중문과에 입학했다. 그는 1982년 졸업과 동시에 간쑤성 선전부 비서처로 스카우트된다. 성적도 좋았지만 탁월한 기획력을 높이 산 교수들이 그를 추천했다. 선전부 비서처에서 그는 평생 잊지 못할 벼슬길 은인을 만나는데 당시 간쑤성 서기였던 리쯔치였다. 리쯔치는 항일 유격대

66 광둥성은 시진핑 신시대
중국 특색 사회주의 사상으로 머리를
무장하고, 시진핑 총서기의
지도사상을 받들어 당 중앙이
안심하도록 해야 한다. 99

시진핑에게 공개적으로 충성맹세를 한 리시

출신으로 시진핑의 부친인 시중쉰 전 부총리와 혁명동지였다. 시중쉰 전 부총리가 열 살이 더 많아 둘은 형제처럼 지냈다고 한다. 이런 인연으로 리쯔치는 어린 시진핑을 아들처럼 대했다.

리쯔치는 갓 공직에 몸을 담은 리시의 일거수일투족을 살폈다. 교수들의 추천도 있었지만 같은 성씨의 집안이라는 점도 무시할 수 없었다. 과연 그는 성실했고 총명했다. 기획력도 뛰어났다. 당시 간쑤성이 가난에서 벗어나기 위해 펼쳤던 선전기획안은 대부분 그의 머리를 거쳐 나왔다. 1985년 리쯔치는 리시를 선전부에서 성 상임위 비서처로 보낸다. 사실상 리쯔치 서기의 개인비서 역할인데 이때부터 둘의 관계는 상하관계가 아닌 부자관계로 격상된다. 이후 리쯔치는 사망하기 전까지 리시의 벼슬길을 후원한다. 대표적으로 시진핑을 리시에게 소개해 서로 교류하도록 배려했다. 리시는 그렇게 자신보다 세 살 많은 시진핑과 호형호제하는 사이가 됐다. 당시로선 장담할 수 없었지만 현재의 시각으로 보면 미래 권력에 대한 예약이자 보험이었다.

리시는 간쑤성에서 22년1982~2004을 보냈다. 아무리 자신의 고향이고 애향심이 강했다고 하지만 그도 사람인지라 공직환경이 좋은 도시와 성에서 근무하고 싶었을 것이다. 그러나 그는 꾹 참았다. 믿을 것은 딱 하나 시진핑이었다. 30대였던 시진핑과 교류하면서 맺은 무언의 결의 때문이었다고 한다. "언젠가 이 나라를 우리 손으로 세계 최고의 나라로 만들어보자"라는 게 당시 그들이 품은 각오였다. 일부에서는 당시 둘의 결의를 삼국지의 '도원결의'에 비교하기도 한다.

간쑤성 비서로서 리시가 보여준 탁월한 행정능력은 곧 소문

회의장에서 시진핑과 나란히 앉아 있는 리시.
리시는 30대였던 시진핑과 교류하면서
언젠가 이 나라를 우리 손으로 세계 최고의 나라로
만들어보자는 다짐을 했다고 한다.
일부에서는 둘의 결의를
삼국지의 '도원결의'에 비교하기도 한다.

이 퍼졌고 2004년에는 바로 옆 산시성의 비서장으로 자리를 옮긴
다. 물론 이때도 산시성이 고향인 리쯔치의 지원이 있었다. 그리
고 2006년에는 중국 공산혁명의 성지인 옌안시 서기로 승진했고
2008년에는 시진핑의 권유로 청화 대학 대학원에 진학해 공공관리
학을 공부한다. 형제 같은 시진핑과의 관계에 대학 동문이라는 관계
가 하나 더 얹어졌다.

그렇게 리시는 2011년 상하이 조직부장으로 뛰어오른다. 그를 상
하이로 끌어올린 이는 시진핑 당시 국가부주석 겸 중앙서기처 서기
였다. 시진핑이 미래 대권을 위해 자신의 심복들을 하나둘씩 요직
에 심고 있었던 시절이었다. 이후 리시는 랴오닝성 성장2014~15, 랴
오닝성 서기2015~17를 거쳐 정치국원2017년 10월과 광둥성 서기가
된다.

사실 리시의 중용은 2015년 그가 랴오닝성 서기에 오를 때 이미
예상된 결과다. 당시 왕민王珉 랴오닝 서기가 비리혐의로 낙마하자
성장에 오른 지 1년밖에 안 된 리시를 곧바로 서기로 승진시켰는데
여기에는 시진핑의 강력한 주문이 있었다. 리시는 서기에 오르자마
자 당 기율위와 함께 대대적인 내부 조사에 착수해 500여 명에 달하
는 비리세력을 처벌한다. 그 과정에서 왕민 전 서기가 북핵 개발에
연루된 마샤오훙馬曉紅 랴오닝 훙샹그룹 총재와도 연관된 사실을 밝
혀낸다. 당시 미국은 훙샹그룹이 북핵 개발을 도왔다는 여러 증거를
들이대며 중국을 압박하고 있었다. 리시의 강력한 반부패 정책 덕에
중국은 훙샹그룹에 대한 선제적 조치를 취하며 미국의 공세를 막을
수 있었다.

그는 안중근 의사에도 관심이 많다. 2016년 6월 황교안 당시 총리

는 동북 3성 방문길에 리시를 만나 한국과 랴오닝성 간 우호협력 증진, 중국 어선의 서해 불법조업 관련 성 당국의 어민 계도 강화, 유엔 안보리 대북제재의 충실한 이행을 위해 한국과 랴오닝성의 협력 강화, 안중근 의사 유해발굴 지원 등을 논의했다. 안중근 의사의 유해는 랴오닝성 뤼순 부근에 묻힌 것으로 알려져 있다. 당시 리시는 황교안 총리에게 양국 협력을 위해 최선을 다할 것이고, 특히 중국과 한국의 항일투쟁 운동을 상징하는 안중근 의사 유해발굴에 가능한 모든 협력을 하겠다는 의사를 전달했다. 물론 이후 큰 성과는 없었지만 당시 그는 안중근 의사의 항일투쟁에 대해서는 지대한 관심을 표했다.

2017년 10월 28일 광둥성 서기 이취임식이 있었다. 그는 취임사에서 "앞으로 광둥성은 시진핑 신시대 중국 특색 사회주의 사상으로 머리를 무장하고, 시진핑 총서기의 지도사상을 받들어 당 중앙(시진핑)이 안심하도록 하며, 전체 성 주민이 만족하도록 해야 한다"라고 했다. 시진핑 황제에 대한 공개적인 충성맹세다. 중국에서 시진핑 숭배가 일어난다면 광둥성에서 시작될 것이라는 말이 나오는 이유다.

리시 약력

• 1956년생, 고향은 간쑤성 량당현, 서북 사범대학 중문과 졸업, 칭화 대학 공공관리학 석사
• 1975~1978: 간쑤성 량당현 지식청년, 량당현 교문국 간사

- 1978~1982년: 서북 사범대학 중문과 수학
- 1982~2004년: 간쑤성 선전부 비서처 간사, 조직부 부처장, 조직부장,
  장예시 서기, 간쑤성 비서장
- 2004~2011년: 산시성 비서장, 옌안시 서기, 칭화 대학 대학원 수학
- 2011~2014년: 상하이시 조직부장, 부서기
- 2014~2017: 랴오닝성 성장, 서기
- 2017~ : 정치국원, 광둥성 서기

17 총리 위의 경제 설계사
류허劉鶴 중화인민공화국 국무원 부총리

실질적인 경제 총리

그가 어떤 인물인지 알기 위해서는 시간을 2013년 5월로 돌려볼 필요가 있다. 당시 중국을 방문한 토마스 도닐런Thomas Donilon, 1955~ 미국 백악관 국가안보 보좌관이 시진핑을 만난 자리에서 있었던 일이다. 대화 도중 시진핑은 갑자기 옆에 앉아 있던 한 사람을 가리키면서 "나에게 매우 중요한 사람입니다"라고 말한다. 시진핑의 옆에는 류허劉鶴, 1952~ 가 앉아 있었다. 도대체 그가 어떤 인물이기에 시진핑은 미국의 국가안보 보좌관에게 이런 속내를 털어놨을까.

그는 정치국원 겸 부총리다. 당 중앙재경영도소조 판공실 주임이기도 하다. 이 소조의 주요 업무는 중국 경제개발 5개년의 밑그림을 그리는 일이다. 사실상 중국의 거시경제를 총괄하고 있는 당의 핵심 기관 가운데 하나다. 소조의 조장은 시진핑이다. 이 정도면 그림이 나온다. 국가주석이 경제를 총괄하는 오늘날 중국에서 시진핑 다음으로 경제 권력을 꿰차고 있는 인물이 류허라는 얘기다. 사실상 경제 총리라 해도 과언이 아니다.

시진핑이 집권하기 전까지만 해도 경제는 총리가 총괄했다. 집단 지도체제에서 권력의 집중을 막기 위한 관례였다. 그래서 시진핑 정권 출범 초기에는 리커창의 이름을 딴 리커노믹스Likonomics란 말이 유행했다. 그러나 얼마 뒤 이 말은 자취를 감췄다. 그 자리를 대신한 건 시진핑의 '신창타이'新常態, New Normal다. 시진핑 1인 권력 시대가 열리면서 경제까지 국가주석이 지휘하게 된 것이다.

신창타이는 중국 경제가 고도 성장기를 지나 중속中速 발전의 새 시대를 맞았다는 뜻이다. 중진국의 함정에 빠지지 않기 위해 고부가가치 상품 위주로 산업을 재편하고 과잉생산을 지양하며 제품의 품질을 개선하기 위한 공급자기업 개혁이 필요하다는 게 신창타이의 골자다. 이 신창타이 개념을 설계한 이가 바로 류허다. 그래서 그에게는 '중국 경제정책의 핵심 두뇌' '미래 중국 경제발전의 이론 조타수' 등의 별명이 따라다닌다. 심지어 류허가 경제 밑그림을 그리면 리커창은 집행만 한다는 말까지 나온다.

류허는 1952년 허베이 창리昌黎에서 태어났다. 그러나 학교는 아버지를 따라 베이징에서 다녔다. 시진핑과는 중학교 동창이다. 시진핑의 고향 역시 호적에는 따라 산시성 푸핑으로 기록돼 있지만 태어나고 자란 곳은 베이징이다. 둘은 베이징 101중학교를 같이 다녔다. 이 학교는 혁명원로나 고위 공직자 자녀들이 다니는 이른바 '금수저' 학교로 유명했다. 류허가 한 살 위였지만 당시 둘은 단짝이었다. 시진핑의 회고에 따르면 류허는 학창 시절 말없이 공부만 했다고 한다. 시진핑은 학연을 통해서도 인재를 많이 발탁했는데 그 대

" 국유기업은 더욱 강하고,
우량하며, 커져야 한다. "

중국의 거시경제를 총괄하고 있는 류허

표적인 인사가 바로 류허다.

50인 포럼을 조직하다

젊은 시절 류허는 농민, 군인, 노동자, 유학생을 모두 경험했다. 그만큼 그의 젊은 시절은 굴곡이 심했다. 그는 문혁이 기승을 부리던 1969년 '농촌에서 배우자'는 구호를 따라 지린성으로 하방돼 1년간 일했다. 류허는 하방 후 군에 입대해 3년간 복무했고 제대한 후에는 베이징의 라디오 만드는 공장에 취직해 5년간 노동자로 일했다. 노동자로 일할 당시 겪은 경험이 농민공과 공원 등 저소득층 대상의 정책을 입안하고 시행하는 데 엄청난 도움을 주고 있다고 한다.

류허에게 새로운 길이 열린 건 문혁 이후 대학 입시가 부활하면서다. 그는 1979년 베이징에 있는 런민人民 대학 공업경제학과에 입학해 석사학위까지 취득했다. 이후 하버드 대학 케네디 스쿨에서 연수받기도 했다. 1987년에는 국무원발전연구중심에 들어갔는데 이때부터 두각을 나타내기 시작했다. 경제에 대한 그의 혜안과 판단이 빛을 발한 것이다. 1988년에는 국가계획위원회로 자리를 옮겨 10년간 근무하면서 중국의 주요 산업정책을 대부분 입안했다. 미래를 보는 그의 탁월한 식견은 당시 국가계획위원회에서도 따를 자가 없었다고 한다. 실제로 그는 1990년대 초에 향후 20년간 세계 경제성장을 이끌 쌍두마차로 중국의 도시화와 선진국의 첨단기술을 꼽았다. 오늘날 중국 경제의 핵심 성장동력인 도시화와 선진국 중심으로 빠르게 진행 중인 4차 산업혁명을 30여 년 전에 정확히 예측해낸 것이다.

류허는 국가경제에 대한 관심과 노력을 단 한순간도 거두지 않았

2018년 5월 17일 양국의 무역 갈등을 논의하는 자리에서
트럼프 대통령과 악수하고 있는 류허.
류허는 중국 거시경제 설계에 주도적인 역할을 하고 있다.
2008년 뉴욕발 국제 금융 위기가 발생했을 때는
미국으로 날아가 위기의 실태와 심각성에 대한
특별 조사를 진행하기도 했다.

다. 1998년에는 당대 중국 최고의 경제학자 가운데 한 명인 판강樊綱, 1953~ 과 식사하다 경제 전문가들을 활용하라는 말을 듣고 중국 일류 경제학자들의 모임인 '50인 포럼'을 조직한다. 경제정책에 관해 자문하자는 취지였다. 이후 중국 정부는 이 포럼을 통해 경제학자들의 다양한 지혜를 듣고 이를 정책에 반영하게 된다. 국가경제 발전을 위해서라면 어떤 파벌의 경제학에게도 조언을 듣겠다는 그의 열린 귀가 오늘날 최고의 중국 경제관료를 만들어낸 것이다. 이 포럼의 영향력이 커지자 '중국 자동차 50인 포럼' 등 다양한 이름의 50인 포럼이 만들어지기도 했다. 포럼의 선순환이 계속되면서 정부의 각 부처가 사회 각계각층에 있는 전문가의 목소리에 귀를 기울이게 되었고 정책에 민간의 목소리가 반영되기 시작했다.

류허가 거시경제 설계에 주도적인 역할을 하게 된 것은 2003년 국가경제를 책임지는 중앙재경영도소조 판공실 부주임이 되면서부터다. 이후 주룽지, 원자바오, 리커창까지 3명의 총리와 함께 국가거시경제정책 초안을 마련했다. 이후 동창생인 시진핑이 집권하자 그의 경제 권력은 날개를 달게 된다. 실제로 시진핑이 국가주석에 취임한 2013년에는 중앙재경영도소조 주임을 맡아 아예 중국 거시경제 정책과 운용의 실질적 책임자에 등극한다. 물론 이전부터 국가경제에 대한 그의 역할은 주목받고 있었다. 예컨대 2008년 뉴욕발 국제 금융위기가 발생하자 당시 총리였던 원자바오의 특명을 받고 미국으로 날아가 위기의 실태와 심각성에 대한 특별 조사를 진행했다. 그의 조사와 보고서를 토대로 중국은 4조 위안 규모의 경기부양책을 썼다. 이후 중국은 미국발 금융위기를 가장 잘 방어한 국가라는 평가를 받았다.

리커노믹스를 비판하다

류허는 중국이 지난 30년간 추진한 개혁개방 정책의 약효가 다했다고 본다. 인프라 투자 등 정부 주도의 성장 모델은 이제 한계라는 뜻이다. 과거 '요소투입형'extensive 성장 방식을 택했을 때의 조건과 환경에 근본적인 변화가 생겼기에 방식을 바꾸지 않고선 중국 경제에 미래는 없다는 게 그의 판단이다. 그래서 그는 혁신이 성장의 원동력이 돼야 한다고 확신한다. 또 중국의 이익과 세계의 이익 간의 교집합을 찾아야 한다고도 주장한다. 요즘 중국에서 일고 있는 창업 열기, 모바일 경제 확산, 시진핑이 주창한 일대일로 전략 등은 시대의 흐름을 정확히 읽는 그의 혜안과 무관하지 않다. 그런데 그의 시장 중시 경제관에는 전제가 하나 있다. 당의 통제다. 사실상 당 통제 시장경제다. 2017년 하반기부터 중국의 각 민영기업이 너 나 할 것 없이 기업 내 당 조직을 만드는 이유다. 물론 이는 시진핑이 주도하는 당 중심 통치 강화와도 직결돼 있다.

이 같은 류허의 경제관이 경제정책을 둘러싼 시진핑과 리커창 간 불협화음의 원인이라는 지적도 있다. 시진핑은 "국유기업은 더욱 강하고, 우량하며, 커져야 한다"라고 말하며 국유기업에 대한 공산당의 지도력 강화를 역설한다. 시장의 중요성은 인정하지만 아직은 당과 정부가 국유기업을 키워 새로운 경쟁력을 창출해야 한다는 논리다. 류허와 같은 인식이다. 반면 리커창은 "과잉생산으로 비대해지거나 차입금의 이자도 못 갚는 '좀비기업' 청산 등 국유기업 구조조정이 시급하다. 규제를 풀고 시장 스스로의 구조개혁이 완성되면 중국 경제는 완만하게 상승세를 탈 것"이라고 주장한다. 비대하고 비효율적인 국유기업을 시장 기능에 맡겨 개혁하지 않으면 중국 경제의 미래가 어둡다는 게 리커창의 지론이다. 누가 옳을까. 역사는 항상 권력의 편에 선다. 그게 역사의 관성이다.

그 예가 2016년 5월 당 기관지인 『인민일보』에 게재된 '권위 있는 인사'와의 인터뷰 기사다. 내용은 이렇다. "일부 낙관론자들은 현재 중국의 경제 상황을 U자형이나 V자형으로 보고 있지만 실제로는 L자형 단계에 들어섰다. 단기가 아니라 장기적 관점에서 대비해야 한다." 단순히 보면 당시 경제상황에 대한 의견인 것 같지만 사실은 당장 규제를 풀어 시장이 경제를 살리도록 해야 한다는 리커창의 경제관을 우회적으로 비판한 것이다. 규제를 풀면 시장을 통해 침체된 경기가 되살아날 것이라는 리커창의 경제관과 장기적인 중속성장과 저속성장의 가능성에 대비해 공급 측 개혁을 당과 정부 주도로 계속해야 한다는 시진핑의 경제관이 충돌한 것이다. 중국 전문가들은 『인민일보』가 인터뷰했던 권위 있는 인사가 바로 류허라고 추정한다. 류허의 경제 권력이 어느 정도인지 가늠할 수 있는 대목이다.

류허 약력

• 1952년생, 고향은 허베이 창리(昌黎), 중국인민대학 공업경제학과 졸업, 공공관리학 석사
• 1973~1979년: 베이징 무선전기공장 노동자, 무선전기공장 공청단 서기
• 1979~1986년: 중국인민대학 공업경제학과 입학, 졸업, 석사 취득
• 1986~2003년: 국무원 발전연구 중심 간부, 국가계획위원회 처장·부주임,

국가정보통신센터 부주임

- 2003~2013년: 중앙재경영도소조 부주임
- 2013~2017년: 중앙재경영도소조 주임, 국가발전개혁위원회 부주임,
  정치국원
- 2018~ : 정치국원, 부총리, 중앙재경영도소조 판공실 주임

18   역발상의 혁신가

리훙중^{李鴻忠} 톈진시 서기

굽은 길에서 선두를 추월한다

2015년 12월 31일 저녁, 리훙중^{李鴻忠, 1956~} 당시 후베이^{湖北}성 서기가 현 안전 담당 부서에 암행을 나갔다. 현장에 도착한 그는 퇴근한 현지 안전 담당 국장에게 전화를 걸었다. 그의 성은 오 씨였다.

> **리 서기** 오 국장, 저 리훙중입니다. 요즘 현의 치안 상황이 어떤지 알고 싶은데요. 말씀 좀 부탁합니다.
> **오 국장** 뭔 소리야 이거. 당신이 서기라고. 끊어.

전화는 바로 끊어졌고 한 방 먹은 리훙중 서기가 멋쩍어하자 화들짝 놀란 비서가 오 국장에게 전화해 상황을 알렸다. 신발 바닥 타는 냄새가 나도록 달려온 오 국장은 "장난전화인 줄 알았다"라며 빌고 빌었다. 현급 치안 부서에 성 당서기가 올 거라는 건 상상할 수도 없는 일이기 때문에 어찌 보면 오 국장의 반응도 이해할 법하지만 여하튼 그는 이후 관련 처분을 받았다. 정치국원 겸 톈진시 서기인 리훙중은 암행감찰로 유명하다. 사전에 알리지 않고 몰래 현장을 방문해 문제점을 파악하고 해결 방안을 찾는다.

2010년 초 후베이성 양회 기간 중 리훙중 서기가 갑자기 '만도초월'彎道超越 이론을 꺼냈다. '굽은 길에서 선두를 추월한다'는 뜻으로 자동차 경주에서 따온 이론이다. 이 이론은 2009년 중국의 대학입시인 가오카오高考의 안후이성 문제에 나왔었다. 만도초월 이론이 경제와 사회 그리고 일상에 미친 영향을 논술하라는 내용이었는데 이후 인터넷에서 화제가 됐었다. 바로 1년 전 가오카오에 나온 문제지만 공무원들은 "무슨 소린가" 했다. 그는 이렇게 설명했다.

"2008년 세계 금융위기 이후 세계 경제가 어렵다. 국내 다른 지역도, 선진국도 마찬가지다. 다들 위기라 한다. 그러나 난 이게 기회라고 본다. 자동차 경주를 보면 굽은 길에서 앞차를 추월하지 않나. 지금 우리 성의 경제가 한 단계 업그레이드할 기회다." 위기를 기회로 인식하는 전략적 발상에 후베이성 관리들은 그를 기재帝才의 리더라고 불렀다. 실제로 그는 창장 중류 지역의 성과 시를 묶어 대규모 경제지구로 만드는 전략으로 후베이성의 경제발전을 이뤘다.

리훙중은 시진핑의 측근으로 알려졌던 황싱궈 전 서기가 2016년 9월 4,000만 위안의 뇌물을 받은 혐의로 낙마하자 소방수로 긴급 투입된 인물이다. 당시 시진핑이 가장 개혁적이고 청렴한 리더를 뽑아보냈다는 소문이 돌았다.

산둥성 창러昌樂 출신인 그는 지린吉林 대학 역사학과를 졸업했지만 경제 엘리트 관료로 더 유명하다. 하버드 대학 연수와 광둥성 근

" 세계 금융위기 이후 다들
위기라 한다. 그러나 난
이게 기회라고 본다. 지금
우리 성의 경제가 한 단계
업그레이드할 기회다. **"**

'만도초월' 이론을 강조한 리훙중

무를 통해 경제 공부에 주력한 덕이다. 부친은 인민해방군 고위 장성이었다. 공산혁명 시기 군의 고위직은 그 자체로 강력한 권력이었다. 그래서 그의 어린 시절은 유복했다. 벼슬길 역시 시진핑처럼 태자당의 도움을 받았다. 다만 그는 태자당 안에서도 가장 기발하고 적극적으로 개혁을 추진하며 청렴하다는 평가를 받는다.

경제 공동체 구상

그는 1982년 대학 졸업과 동시에 랴오닝성 선양沈陽시 정부 비서처에서 공직생활을 시작한다. 그리고 당시 랴오닝성 서기였던 리톄잉李鐵映, 1936~ 의 총애를 받으며 미래의 파워엘리트로 자랄 기반을 다진다. 벼슬길 초창기에 만난 리톄잉은 이후 그의 정치적 멘토 역할을 한다.

리톄잉은 정치국원과 사회과학원 원장을 지낸 중국 정계의 거물이다. 그는 중국의 개혁개방이 지지부진하던 시절 국가경제체제개혁위원회 주임1987~88을 맡으면서 개혁 전도사 역할을 한 인물이기도 하다. 1992년 덩샤오핑이 개혁개방을 독려하기 위해 현지 지도에 나섰던 '남순강화'의 이론적 토대를 만들기도 했다. 당연히 덩샤오핑의 총애를 받았다. 게다가 리톄잉의 어머니 진웨잉金維映은 덩샤오핑의 둘째 부인이었다. 결혼생활을 얼마 하지 않고 이혼해 슬하에 자녀는 없었다. 그런 리톄잉의 비서를 했으니 리훙중의 출세길은 거침이 없었다.

리훙중은 1985년 전자공업부에 들어가 미래의 국가 기간산업을 연구하기 시작한다. 1988년에는 전자공업부를 떠나 광둥성 후이저우惠州시 부서기로 자리를 옮기는데 이때부터 경제 전문가의 길을

리훙중의 정치적 멘토였던 리톄잉.
리훙중은 덩샤오핑이 개혁개방을 독려하기 위해 현지 지도에 나섰던
'남순강화'의 이론적 토대를 만든 리톄잉의 비서였다.
벼슬길 초창기에 그를 만난 이후
리훙중에게 리톄잉은 정치적 멘토가 되었다.

걷는다. 그는 이후 10년 동안 광둥성에서 중국 경제발전의 최전선을 지휘하는 행운을 누린다. 2003년에는 선전深圳시 대리 시장으로 자리를 옮겨 중국 개혁개방의 최전방 공격수 역할을 자임한다. 당시 선전은 네 가지 어려움에 직면해 있었다. 개혁개방을 선도하는 도시였지만 토지 가격 급등, 에너지 부족, 환경 악화, 인구 급증 등 급속한 경제발전에 따른 각종 부작용이 터져 나왔다. 선전시 대리 시장으로 부임한 그는 이 네 가지 난관을 극복하지 않고서는 지난 20년간 고속 성장해온 선전의 재도약은 없다고 단언한다. 벼슬길에서 만난 첫 번째 도전이자 시련이었던 셈이다. 그는 개혁의 부작용 역시 개혁으로 처방해야 한다고 소리쳤다. 그렇게 모든 비효율과의 전쟁을 시작한다. 2005년에는 아예 선전 개혁 판공실을 열어 개혁을 진두지휘한다. 그리고 행정업무의 디지털 전환, 창업 활성화 등 개혁 조치 수십 개를 시행해 멋지게 성공한다. 오늘날 중국 최고의 혁신도시, 창업도시로 꼽히는 선전의 기초를 그가 다졌다는 데 이의를 제기하는 사람은 없다.

선전시에서 쌓은 경험은 후베이성 서기2010~16로 일할 때 큰 도움이 된다. 당시 후베이는 전국 최고 수준의 부패지수로 악명이 높았다. 그가 어찌나 폭풍처럼 부패를 척결했는지 그의 재임 시절 성에서 낙마한 공직자 수가 매년 전국 최고를 기록했을 정도였다. 부패에 알레르기 반응을 보이는 시진핑이 그를 아끼고 신뢰하는 이유 가운데 하나다. 이 시기에 그는 '만도초월' 이론을 다시 꺼내든다. 2008년 국제 금융위기는 중국이 선진국을 뛰어넘을 수 있는 절호의 기회라는 역발상을 강조하기 위해서였다. 연장선에서 그는 '창장 중류 도시군' 전략을 세우고 실행에 옮긴다. 중국의 젖줄인 창장 중류 지역 도시들을 묶어 공동발전을 도모하는 이른바 '경제 공동체' 구상이다. 지역 단위 발전이 아니라 지역을 연합해 규모의 경제를 만들어 지속 가능한 성장동력을 확보하자는 게 그의 생각이었다. 그의 구상은 2015년 국무원이 승인하는 '창장중류도시군발전규획'長江中遊城市群發展規劃으로 빛을 발한다. 이는 지방 리더의 아이디어가 중앙정부의 정책으로 진화한 대표적인 사례로 평가받고 있다.

그의 변신은 계속된다. 2016년 9월 리훙중은 당 기관지인 『인민일보』의 인터넷매체 『인민망』 게시판에 왕훙網紅. 인터넷 스타이 되고 싶다는 글을 올린다. 인터넷을 플랫폼으로 해 인민들과 소통하고 싶다는 내용이었다. 인터넷으로 소통하는 고위 관리들은 많지만 리훙중 처럼 인터넷 스타를 지향하는 이는 없었다. 그만의 독특한 공직 관리 기법이라 할 수 있다. 물론 그는 업무가 바빠 꿈꾸던 왕훙은 되지 못했다. 그래도 그는 2016년 톈진 시민들이 제기한 각종 의견 26건에 대해 인터넷으로 직접 답했다. 직할시 서기로는 유일했다. 그는 시진핑의 충신이다. 그의 종교가 '시진핑 사상'이라는 말도 나온다. 출세하려면 '시진핑 사상'을 하느님처럼 받들어야 한다는 역설적 의미를 담고 있다. 그는 시진핑을 당 중앙 핵심으로 옹립하고, 그의 사상을 전면적으로 실천해야 한다고 선도적으로 주창한 몇몇 지방 당 서기 가운데 한 명이다. 이런 선도적 충성맹세, 태자당스럽지 않은 개혁파, 혁신에 관한 마를 줄 모르는 아이디어, 강력한 부패 척결 의지 등 이 모든 게 시진핑이 그를 신뢰하는 이유다.

리훙중 약력

- 1956년생, 고향은 산둥성 창러현, 지린 대학 역사학과 졸업, 경제사(經濟師)
- 1978~1982년: 지린 대학 역사학과 수학
- 1982~1985년: 랴오닝성 선양시 비서처, 라오닝성 판공청 비서
- 1985~1988년: 전자공업부 판공청 비서, 당 판공실 부주임
- 1988~2007년: 광둥성 후이저우시 시장, 서기, 광둥성 부성장, 선전시 시장,
  서기
- 2007~2016년: 후베이성 성장, 서기
- 2016~2017: 톈진시 서기
- 2017~ : 정치국원, 톈진시 서기

3

시황제 친위 파워엘리트 9인

이들은 일단 차기 대권과 거리가 멀다. 나이가
많은 게 주요 이유다. 시진핑 집권 2기가
끝나면 68세를 훌쩍 넘어 최고 지도부 진입이
어렵다. 공산당의 '7상8하' 인사관례 때문이다.
상대적으로 젊은 엘리트도 있지만 대권 냄새가
나지 않는다. 묵묵히 자신이 맡은 일을 다 하는
전문가나 행정의 달인이 대부분이다. 그러나
그들은 현재 그 자체로 권력이다. 중국이라는
항모를 이끌고 가는 엔진이고 조타수다.
때로는 시진핑을 대신해 항해사가 되기도 한다.
우리가 흔히 말하는 행정 파워엘리트다.

19   선전 권력의 교과서

황쿤밍黃坤明 중국공산당 중앙선전부 선전부장

'시진핑 사상' 공부 열풍

2018년 초부터 중국에 학습 광풍이 불었다. 바로 2017년 10월 24일 폐막한 제19차 당대회 학습이다. 과목은 제19차 당대회를 통해 '당장'에 삽입된 '시진핑 신시대 중국 특색 사회주의 사상'이다. 이는 향후 중국공산당의 행동지침이다. 아마 시진핑 집권 2기 내내 중국 전역에서는 '마오쩌둥 어록' 학습을 방불케 하는 '시진핑 사상' 학습이 계속될 것이다.

학습은 요란하고 전방위적으로 진행중이다. 공무원은 물론이고 각 학교, 공직사회, 사회단체, 공기업, 심지어 민영기업까지 예외가 아니다. "앞으로 중국에서는 '시진핑 사상'을 모르면 간첩이라고 처벌할지도 모르겠다"라는 말이 나올 정도다. 초등학교 5~6학년이 쓰는 교과서에까지 '시진핑 사상'이 들어간다고 하니 이 정도면 문혁 시절 마오쩌둥 어록 학습을 방불케하는 수준이다.

학습은 2017년 11월 1일에 구성된 '중앙 선강단'中央宣講團이 맡고 있다. 선강단에는 천민얼과 양샤오두 당 기율위 부서기, 황쿤밍黃坤明,1956~ 정치국원 겸 당 중앙선전부 선전부장 등 서른여섯 명이 소속돼 있다. 그러나 역시 핵심은 황쿤밍 부장이다. 공산당의 대내외 선전 부문을 총괄하고 있기 때문이다. '시진핑 사상'이 중국 사회에 뿌리내리는 정도는 시진핑 권력의 안위와 직결되는 문제다. 시진핑의 신뢰가 없으면 맡을 수 없는 자리라는 얘기다. 그렇다면 황쿤밍이 거의 목숨을 걸고 전파 중인 '시진핑 사상'이란 무엇인가.

'시진핑 사상'은 그가 당 총서기로 선출된 이후 내놓은 일련의 통치철학, 사상, 이념, 각종 정책을 정리한 이론적 체계를 말한다. 이는 다섯 개의 키워드로 정리할 수 있다.

첫째, '중국의 꿈'이다. '시진핑 사상'의 최종목표다. 이는 당 총서기에 등극한 시진핑이 2012년 11월 29일 국가박물관에서 열린 '중화부흥 사진전'을 둘러보면서 거론한 것이다. 시진핑은 중국의 꿈을 '중화부흥'이라고 정의한다. 19세기 말 '아시아의 병자'로 불리던 치욕을 떨치고 강한성당强漢盛唐, 강력한 군사력의 한나라와 문화가 융성한 당나라으로 부활하겠다는 결의다. '중국의 꿈'이 시진핑의 전유물은 아니다. 마오쩌둥이 1956년 쑨원 탄생 기념일에 "다시 40~50년이 지나면 새로운 세기가 시작되는데 우리는 중국의 꿈을 품어야 한다. 대국답게 인류에 공헌하는 꿈이다"라고 처음 언급했다.

둘째, '두 개의 100년'이다. 이는 중화부흥의 시간표다. 중국공산당 창당 100주년이 되는 2021년까지 샤오캉 사회를 이루고 신중국 수립 100주년이 되는 2049년까지 부강하고 민주적·문명적이며 각 부문이 조화로운 사회주의 선진 현대 국가를 건설하겠다는 뜻이

" 한 개의 국가, 한 개의 정당 그리고
영도를 핵심으로 하는 지배체제는 매우
중요하다. 중국 특색 사회주의라는
위대한 사업을 완성하려면 시진핑
총서기에게 핵심 지위를 부여해야
한다는 것은 너무나도 분명하다. **"**

'시진핑 사상'을 목숨 걸고 전파하는 황쿤밍

다. 샤오캉 사회는 대략 국민소득 1만 달러 내외의 중진국을 말한다. 2017년 중국의 1인당 평균 국내총생산은 9,400달러다. 시진핑 국가 주석은 자신의 집권 2기에 샤오캉 사회를 완성해야 하는 역사적 부담감을 안고 있다. 중국이 절대빈곤 퇴치에 예산을 집중적으로 투입하는 이유다. '두 개의 100년' 전략은 덩샤오핑과 장쩌민 시대를 거치며 완성됐다. 덩샤오핑은 1979년 오히라 마사요시大平正芳, 1910~80 일본 총리를 만난 자리에서 "우리가 이루고자 하는 현대화는 샤오캉 사회를 건설하는 것"이라고 말했다. 이어 장쩌민은 1997년 열린 제15차 당대회에서 "창당 100주년에 샤오캉 사회 건설을, 신중국 수립 100주년에 현대 국가 건설을 완성해야 한다"며 시간표를 제시했다.

셋째, '삼엄삼실'三嚴三實이다. 중화부흥 실현을 위해 가장 공들여야 할 공직자들의 업무문화 혁신을 염두에 둔 지침이다. 동시에 탁월한 인재와 리더를 양성하기 위한 전략이기도 하다. 이는 시진핑이 2014년 양회 기간에 제시했다. 삼엄은 공직자가 자기 수양嚴以修身, 권한 행사嚴以用權, 기율 준수嚴以律己에 각각 엄격해야 한다는 뜻이다. 시진핑이 치르고 있는 반부패 전쟁의 이론적 근거다. 물론 그의 정적을 제거하기 위한 명분으로 활용되고 있다는 지적도 받는다. 삼실은 일을 추진하는 데謀事要實, 창조적 업무를 하는 데創業要實, 사람됨에做人要實 각각 내실을 기하라는 뜻이다. 시진핑의 인재철학을 담고 있다. 시진핑이 발탁한 대부분 인재가 '삼엄삼실'에 근거하고 있다는 말이 나온다. '삼엄삼실'은 형식주의, 관료주의, 향락주의, 사치풍조 등의 근절을 목표로 하는 중국 공무원 윤리지침인 8항규정의 이론적 근거다.

넷째, '네 개 전면'四個全面이다. 이는 중화부흥을 위한 구체적인 방법론이다. 그 골자는 4개 부문의 전면적인 개혁과 실행이다. 전면적인 샤오캉 사회 건설, 전면적인 개혁 심화, 전면적인 법치, 전면적이고 엄격한 공산당 통치다. 중국 각 부문에서 진행 중인 일련의 개혁조치, 대대적인 부패척결, 공산당의 순수성 강조 및 사상 무장 강화 등은 바로 이 '네 개 전면' 지도이념에 따른 후속 조치로 볼 수 있다.

이 역시 단번에 완성된 게 아니다. 처음 거론된 건 2014년 11월이다. 자신의 정치적 기반인 푸젠성을 방문한 시진핑은 향후 국정방침으로 샤오캉 사회 건설, 개혁 심화, 법치 등 '세 개 전면'三個全面을 꺼내들었다. 다음 달 그는 장쑤성을 방문한 자리에서 '전면적인 당의 통치'를 추가해 '네 개 전면'을 들고 나왔다. 이후 이 용어는 시진핑 시대 국정을 관통하는 키워드로 자리 잡았다.

다섯째, '오위일체'五位一體다. 모든 정책의 결과가 '오위일체'를 이뤄야 하며 어느 하나라도 모자라면 진정한 중국식 사회주의가 아니라는 뜻이다. 이른바 균형발전론이다. 2012년 제18차 당대회에서 처음 거론됐다. 정치, 경제, 사회, 문화, 환경 등 5개 부문에서 완벽한 법치를 성취해야 한다는 뜻이다. 시진핑이 제창한 세계전략인 일대일로 구축에서 문화와 환경이 중시되는 배경이기도 하다.

이 또한 시진핑 시대에 시작된 건 아니다. 2002년 열렸던 제16차 당대회에서 후진타오 당시 총서기가 경제 건설, 정치 건설, 문화 건설이라는 '삼위일체' 치국 목표를 들고 나왔다. 2007년 제17차 당대회에서는 여기에 사회 건설이 추가돼 '사위일체'가 되었고 5년 후 열린 제18차 당대회에서 총서기에 선출된 시진핑이 생태문명 건설을 추가해 '오위일체' 치국 이념을 완성했다. 갈수록 심각해지는 환경 문제를 더 이상 방치할 수 없었던 탓이다.

궈이郭毅 베이징 공상대학 교수는 "마오쩌둥 사상은 마르크스주의의 중국화 이론이며, 덩샤오핑 이론은 중국식 사회주의가 무엇이고 어떻게 건설할 것인지를 규정했고, 장쩌민 3개 대표 이론은 어떤 당을 어떻게 건설하는지를 설명했으며, 후진타오의 과학적 발전관은 어떤 발전을 어떻게 이룰 것인지를 제시했다. '시진핑 사상'은 이 모두를 녹여 중화부흥을 이루는 포괄적인 사상체계를 만들려고 한다"라고 분석한다.

결국 '시진핑 사상'이 말하는 건 2049년까지 중국식 사회주의를 건설해 미국을 넘어서는 중화부흥을 이루겠다는 것이다. 간과하지 말아야 할 건 '시진핑 사상'에는 시진핑 개인의 생각만 녹아 있는 게 아니라 이전 지도자들의 통치철학과 이념도 녹아 있고 아직도 진화 중이라는 점이다.

시진핑을 교주처럼 받들다

이런 '시진핑 사상'의 신봉자인 황쿤밍은 푸젠성 상항上杭 출생이다. 그래서 공직생활도 푸젠을 떠나 말할 수 없다. 무려 22년간 1977~99 고향에서 일했다. 그중 17년은 시진핑과 같이 일하거나 바로 옆 동네에서 일했다. 시진핑은 1985년부터 2002년까지 푸젠성에서 근무하며 훗날 대권을 도울 자기 사람을 길렀다. 그리고 2012년 말 공산당 총서기에 오르자마자 푸젠성에서 인연을 맺었던 측근들을 하나둘씩 중앙의 핵심 자리로 끌어올렸다. 대표적인 인사가 바로 2013년 선전부 부부장으로 발탁된 황쿤밍이다. 시진핑의 가신그룹인 시자군 가운데서도 푸젠방의 대표라 할 수 있다. 푸젠성을 괜히 시진핑의 정치적 기반이라고 말하는 게 아니다.

황쿤밍은 1977년 고향인 상항에서 농촌 청년대의 문서지기를 했다. 신문과 책 등 도서 관리를 담당했는데 어릴 적부터 독서를 좋아해 자원했다고 한다. 그리고 이듬해 문혁으로 중단됐던 대학입시가 부활하자 푸젠 사범대학 교육학과에 입학한다. 그는 1985년 졸업과 동시에 푸젠성 룽옌龍巖 지역 당지부 간부로 공직생활을 시작하는데 그때 시진핑이 푸젠성 샤먼시 부시장으로 부임해온다. 시진핑과 황쿤밍이 푸젠성에서 언제 처음 만났는지는 분명치 않다. 다만 14년간1985~99 룽옌시에서 근무하며 시장까지 지낸 황쿤밍의 탁월한 행정능력을 시진핑이 눈여겨보고 있었다는 건 확실하다. 1999년 황쿤밍은 저장성 후저우湖州시 부서기로 영전하는데 당시 푸젠성 대리성장이었던 시진핑 국가주석의 지원이 있었다는 건 공공연한 비밀이다.

시진핑은 2002년 저장성 부서기로 임지를 옮겼고 취임 후 황쿤밍을 통해 저장성 현장의 실무를 파악했다. 그리고 2007년에는 아예 황쿤밍을 저장성 선전부장으로 끌어와 자신과 저장성의 정책을 선전하는 중책을 맡긴다. 오늘날 그의 당 중앙 선전부장 자리는 저장성에서부터 예약한 자리라 할 수 있겠다. 저장성 자싱嘉興시 서기와 선전부장을 하던 시절 그는 시진핑의 모교인 칭화 대학에 입학해 공공관리학 박사학위2005~2008까지 받는다. 이는 시진핑이 그를 더 학습시켜 미래의 국가 동량으로 쓰기 위한 포석이었을 것이다. 여기에 칭화 대학이라는 학연으로도 자신과 엮어 충성도를 높이려는 생각도 있었을 것이다.

2017년 11월 16일 베이징에서는 '국제 싱크탱크 심포지엄'이 열렸다. 한국을 비롯한 31개 국가의 학자와 정부 요인 등 240여 명이 참석했다. 황쿤밍은 이 자리에서 의미 있는 강연을 한다. 제목은 '중국의 새로운 항로와 세계 발전의 기회'였다. "중국 특색 사회주의가 새로운 시대에 진입하면서 중국 발전은 세계에 전면적이고 큰 영향을 미치고 있다. 중국은 앞으로 시진핑 신시대 중국 특색 사회주의로 무장해 전면적인 중국 특색 사회주의라는 위대한 사업을 추진할 것이다. 또 신시대의 중국 발전은 세계에 더 많은 기회를 가져올 것이다. 바라건대 세계 각국의 싱크탱크들은 중국공산당을 더 깊이 연구하고 (공산당과) 교류를 더 심화하며 더 다양한 방면에서 협력했으면 한다."

시진핑 시대의 새로운 중국이 세계의 발전을 이끌 것이라는 얘기다. 듣기에 따라서는 "이제 미국이 아닌 중국의 시대가 시작됐다"라는 선언으로 들린다. 시진핑이 제19차 당대회가 끝나고 "중국은 서구식 발전 모델을 따를 필요가 없다"라고 말한 것과 일맥상통한다.

황쿤밍의 '시진핑 사상' 신봉은 거의 종교적 수준이다. 시진핑 총서기를 공산당의 핵심으로 받들어야 한다는 논리를 가장 먼저 말하고 가장 강력하게 주장한 이가 바로 그다. 2016년 10월 말 열린 제18차 당대회 당 중앙위원회 제6차 전체회의가 끝나고 발표된 공보에서는 처음으로 '시진핑 동지를 핵심으로 하는 당 중앙'이라는 표현이 등장한다. 황제를 방불케 하는 시진핑의 권력은 황쿤밍이 주도적으로 강화하고 있는 '시진핑 핵심'이라는 말에서 시작됐다는 얘기다.

황쿤밍은 이런 주장도 한다.

"한 개의 국가, 한 개의 정당 그리고 영도를 핵심으로 하는 지배체제는 매우 중요하다. 이것은 우리 당의 고귀한 경험이며 우리는

베이징에서 열린 2017 국제 싱크탱크 심포지엄.
황쿤밍은 국제 싱크탱크 심포지엄에서
'중국의 새로운 항로와 세계 발전의 기회'라는 제목으로 강연을 한다.
시진핑 시대의 새로운 중국이 세계의 발전을
이끌 것이라는 강연이었는데,
이제 미국이 아닌 중국의 시대가 시작되었다는 선언으로 들린다.

이를 깊이 체득해 알고 있다. 우리가 중국 특색 사회주의라는 위대한 사업을 완성하려면 반드시 한 개의 핵심이 필요하며 시진핑 총서기에게 핵심 지위를 부여해야 한다는 것은 너무나도 분명하다." 2018년 3월 전인대에서 국가주석 임기제 폐지를 핵심으로 하는 헌법개정안이 통과되면서 시진핑에게 종신집권의 길이 열렸다. 돌이켜보면 황쿤밍이 '시진핑 핵심'을 주장할 때 이미 시진핑의 종신집권을 염두에 뒀던 게 아닌가 하는 생각이 든다.

황쿤밍의 부인은 추핑^{邱萍} 저장성 연초총공사^{烟草總公司} 총 경리다. 저장성 연초전매국 국장도 지냈다. 한마디로 저장성 담배 산업을 총괄하고 있다. 남편은 영도자 반열인 정치국원이고 부인은 인구 5,500만 명인 저장성의 담배 전매권을 좌우하는 권력을 지니고 있다. 훗날 혹시 부패와 관련해 탈이 없을지 지켜볼 일이다.

황쿤밍 약력

- 1956년생, 고향은 푸젠성 상항현, 푸젠 사범대학 졸업, 칭화 대학 공공관리학 박사
- 1982~1999년: 푸젠성 룽옌시 판공실 주임, 융딩(永定)현 서기, 룽옌시 시장
- 1999~2013년: 저장성 후저우시 시장, 자싱시 서기, 저장성 선전부장, 항저우(杭州)시 서기
- 2013~2014년: 당 중앙선전부 부부장
- 2014~2017년: 당 중앙선전부 상무 부부장, 중앙정신문명건설 지도위원회 판공실 주임
- 2017~ : 정치국원, 당 중앙선전부장, 중앙서기처 서기, 중앙정신문명건설 지도위원회 주임

20　최고의 실력은 충성

천시陳希 중국공산당 중앙조직부장

시진핑과 같은 방을 쓴 동기

그는 시진핑과 동갑이다. 칭화 대학 화공과 동기이기도 하다. 한데 그냥 동기가 아니다. 대학 시절 둘은 모두 기숙사 생활을 했는데 같은 침대 위아래에서 잠을 잔 사이다. 이 정도면 형제 같은 '절친'이라 할만하다. 천시陳希, 1953~ 당 중앙조직부장 겸 중앙당교 교장의 얘기다.

시진핑은 자기 사람, 특히 실력 있는 자기 사람을 특별히 챙기는 걸로 유명하다. 시진핑 시대의 대부분 핵심 요직이 그런 인물들로 채워지고 있다. 그럼 천시는 어떤 인물일까. 2013년 3월 시진핑이 국가주석에 오르기 전 그는 과학기술협회 당서기장관급에 불과했다. 과학기술에 관한 정책과 전략을 자문하는 중요한 조직이긴 하지만 권력과는 거리가 먼 직책이었다. 그런데 시진핑 국가주석은 취임하자마자 그를 당 중앙조직부 상무 부부장으로 발탁한다. 조직부는 공산당원은 물론 비당원 공직자들의 인사까지 총괄하는 권력의 핵심이다. 2018년 3월에는 당정 기구를 개편하면서 국가공무원국이 폐지돼 당정 모든 공무원 인사를 맡게 되었다.

조직부 상무 부부장은 우리나라로 따지면 장관인 부장을 대신해 모든 인사를 조율하는 자리다. 당시 베이징 정가에서는 시진핑의 가장 파격적인 인사였다는 말이 돌았다. 그만큼 그의 당 중앙조직부장 임명은 아무도 예상치 못했다.

천시는 제19차 당대회에서 정치국원으로 승진하더니 2017년 11월 초에는 중앙당교 교장까지 겸임한다. 중앙당교는 중국의 파워 엘리트를 길러내는 최고의 훈련기관이다. 너무나 중요한 조직이라 지금까지 대부분 정치국 상무위원이 교장을 맡았다. 1989년 차오스喬石, 1924~2015 당시 정법위 서기가 중앙당교 교장을 맡은 이래 30여 년간 그 관례가 깨지지 않았다. 시진핑과 후진타오도 국가주석 취임 전 교장을 거쳤을 정도다. 그런 교장 자리를 30여 년 만에 처음으로 정치국원이 맡았다. 천시가 정치국 상무위원급 정치국원이라는 말이 나올 수밖에 없는 이유다.

천시는 푸젠성 푸톈莆田 태생이다. 어릴 적 신동으로 불릴 정도로 공부를 잘했다고 한다. 1975년에는 수재 중의 수재만 입학할 수 있다는 칭화 대학 화학공학과에 합격했는데 거기서도 학업 성적이 뛰어났다. 물론 당시는 문혁 중이어서 당의 추천으로 입학한 것이지만 입학 방식과 관계없이 그가 수재라는 소문이 파다했다. 졸업이 가까워지자 학교 측은 그에게 대학원 진학을 권하며 학교에 남아 교수를 하라고 권한다. 그도 싫지 않아 대학원에서 촉매동력학으로 석사 학위를 받는다. 이후 교수로 재직하면서 2008년까지 무려 33년간

> **"** 당의 간부선발 기준은
> 첫 번째 정치적 충성도다.
> 이는 시진핑 총서기가
> 제19차 당대회에서
> 분명하게 강조했다. **"**

모든 공무원 인사를 맡은 천시

칭화 대학 공청단 서기, 공회工會, 노조 주석, 당위원회 서기로 일한다. '뼛속까지 칭화 맨'인 셈이다.

반평생을 학교에서만 일하다 보니 그의 벼슬길은 초라했다. 2008년에는 한국의 차관급인 교육부 부부장이 됐는데 이렇다 할 실적을 내지는 못했다. 2010년에는 랴오닝성 부서기로 임명됐지만 역시 당 중앙의 관심을 받지 못했다. 1년 후 그는 다시 중국 과학기술협회 서기로 전보轉補돼 권력과 담을 쌓은 벼슬길을 걸었다. 그렇게 아무도 그를 주목하지 않을 때 시진핑만은 그에게서 눈을 떼지 않았다. 같은 방 침대 위아래에서 잠을 자며 겪은 천시는 성실하고 총명하며 무엇보다 충성도가 제일이었기 때문이다. 배신을 가장 증오하는 천시의 천성을 눈여겨보면서 시진핑은 언젠가 동기생을 크게 쓰겠다고 다짐했을 것이다. 그렇지 않고서 어떻게 국가주석에 취임하자마자 그를 당 요직 중의 요직인 조직부 상무 부부장으로 끌어올릴 수 있겠나.

최고의 실력은 충성

시진핑의 판단은 틀리지 않았다. 천시의 공직관은 '천하 최고의 덕은 충성'天下至德, 莫過于忠이라는 말로 요약된다. 다른 말로 풀면 "최고의 실력은 충성"이라는 뜻이다. 물론 당에 대한, 즉 시진핑 총서기에 대한 충성이다. 시진핑이 2012년 말 당 총서기에 오른 후 가장 강조했던 것도 당에 대한 충성이었다. 당원들의 충성심이 없으면 공산당 일당독재는커녕 당의 존재조차 위협받는다는 걸 알고 있었기 때문이다.

천시가 얼마나 당에 대한 충성을 강조하는지 그 실례가 있다. 그

천시는 시진핑과 칭화 대학(위) 동기다.
한데 그냥 동기가 아니라 같은 기숙사 같은 침대 위아래에서
잠을 잤으며 매우 친했다고 한다.
시진핑은 실력 있는 자기 사람을 특별히 챙기는 걸로 유명하다.
과학기술협회 당서기에 불과했던 천시는
시진핑이 취임하자마자 당 중앙조직부 상무 부부장으로 발탁되었다.

는 시진핑 총서기가 제19차 당대회에서 발표한 당 업무보고서 작성에 관여한 핵심 인물 가운데 한 명이다. '시진핑 사상'과 1인 체제 구축에 큰 영향력을 행사했다는 의미다. 당대회 이후 인민출판사가 펴낸 『제19차 당대회 보고 해설 독본』에는 그가 쓴 「간부 선발의 정치적 기준」이라는 글이 실려 있다. 당 조직부 부부장 자격으로 쓴 글이다. 글은 이렇게 시작한다.

"당 중앙은 저우융캉, 보시라이, 쉬차이허우, 쑨정차이, 링지화 등 정치적 야심가, 음모가들을 엄정하게 처리했다. 그들이 당에 끼친 해악은 부패 문제와 다르지 않으며 그들의 직책이 높아지면서 당에 끼친 손실 또한 엄청나다. 그래서 당의 간부선발 기준을 강조하고자 한다. 첫 번째, 정치적 충성도, 두 번째, 정치력, 세 번째, 정치적 책임감, 네 번째, 정치능력, 다섯 번째, 정치적 자율성이다. 이는 시진핑 총서기가 제19차 당대회에서 분명하게 강조했다."

간부 선발과 발탁의 첫 번째 기준을 '충성'으로 삼는 그의 정치관과 가치관이 고스란히 드러난 문장이다. 동시에 시진핑 시대 파워엘리트에 오른 인물들의 공통된 제1덕목이 무엇인지를 말해준다. 그가 당 조직부 상무 부부장에 올랐을 때 『공산당신문망』은 그를 이렇게 소개했다.

"당의 노선과 정책을 확실하게 관철하고, 중대한 원칙에 대한 생각이 확고하고, 모든 방침과 생각이 당과 일치한다. 사고가 민첩하고, 업무 경험이 풍부하고, 업무실적이 탁월하다. 사고가 분명하고, 정책이론 수준이 높고, 거시적 안목이 탁월하고, 복잡한 문제에 대한 처리능력이 뛰어나다. 혁신 정신이 강하고, 매사에 실용적이고, 근면하고, 과감하다. 민주적이고, 협력과 단결을 추구하고, 친화력이 뛰어나다. 자기 스스로에 엄격하고, 사람됨이 겸손하다." 단점은 하나도 없다. 공자, 맹자도 못 따라갈 수준이다. 물론 이런 평가를 액면 그대로 믿을 수는 없다. 다만 근면하고 친화력이 뛰어나며 겸손한 것은 맞는 모양이다. 그를 아는 대부분 사람이 빠짐 없이 하는 말이기 때문이다. 어쨌든 그는 시진핑의 '충성맨'만을 골라 시진핑 권력의 철골 구조를 세웠다. 그리고 앞으로도 그럴 것이다. 역설적으로 그가 사람을 잘못 고르면 시진핑 권력이 위험해질 수도 있다는 말이다. 그만큼 그의 권력은 시진핑과 함께 가고 있다.

천시 약력

- 1953년생. 고향은 푸젠성 푸톈시, 칭화 대학 화공과 졸업, 석사
- 1970~1975년: 푸저우 대학 기계공장 공원
- 1979~2008년: 칭하 대학 공청단 서기, 교수, 스탠퍼드 대학 방문학자, 칭화 대학 당 부서기, 서기(차관급)
- 2008~2010년: 교육부 부부장
- 2010~2011년: 랴오닝성 부서기
- 2011~2013년: 중국 과학기술협회 서기
- 2013~2017년: 당 중앙조직부 상무 부부장
- 2017년~ : 정치국원, 중앙서기처 서기, 당 중앙조직부장, 중앙당교 교장

21 반부패 사정기관의 총사령관

양샤오두楊曉渡 국가감찰위원회 주임

부패척결의 포문

시진핑 집권 2기에도 중국 공직자들은 살얼음판을 걸어야 할 것 같다. 특히 고위 공직자들이 그렇다. 지난 5년간 "호랑이든 파리든 모두 때려잡는다"는 시진핑의 부패척결에 녹초가 됐는데 끝난 게 아니었다. 공직자의 저승사자로 악명을 떨쳤던 왕치산 전 당 기율위 서기현 국가부주석가 물러나 숨을 좀 돌릴까 했는데 더 매서운 저승사자가 대기하고 있었다. '구관이 명관'이란 말이 안 나오는 게 오히려 이상하다. 신시대 중국의 반부패 사정기관을 이끄는 양샤오두楊曉渡, 1953~ 국가감찰위원회 주임 얘기다. 전인대는 2018년 3월 18일 베이징 인민대회당에서 열린 제6차 전체회의 표결에서 찬성 2,953표, 반대 6표, 기권 7표로 양샤오두를 국가감찰위 주임으로 선출했다. 당 기율위 부서기와 국무원 감찰부장장관급은 모두 양샤오두 주임의 손안에 있다고 보면 된다. 특히 국가감찰위는 2018년 3월

11일 전인대가 거의 만장일치로 통과시킨 새 헌법을 바탕으로 신설된 기구다. 중국공산당의 사정기관인 당 기율위와 행정부인 국무원의 감찰 조직 등을 통합한 사정기관 최고의 권력기관이다. 국가감찰위는 공산당원만을 대상으로 하는 당 기율위와 달리, 당원이 아닌 공무원, 기업인, 판사, 검사, 의사, 교수 등 공적인 영역에 있는 모든 사람을 대상으로 사정활동을 펼친다. 권한도 막강해 부패혐의자에 대해서는 조사, 심문, 구금은 물론 재산동결과 몰수까지 할 수 있다. 국가기관 서열에서도 국무원과 중앙군사위 다음으로 법원과 검찰에 앞선다.

양샤오두는 2017년 10월에 열린 제19차 당대회를 통해 정치국원에 올랐다. 그가 왕치산을 넘는 무섭고 매서운 개성의 소유자라는 게 알려진 건 사실 최근의 일이다.

대회 다음 날인 2017년 10월 19일, 제19차 당대회 기자회견장에 양샤오두가 나타났다. 우선 그는 지난 5년간의 부패척결 성과를 숫자로 설명했다. 부패혐의로 처분받은 공직자는 무려 153만 명이었다. 이 중 사법처리된 사람은 5만 8,000명으로 차관급 이상 고위 공직자는 440명이었다. 낙마한 지도자급 공직자에는 저우융캉 전 정치국 상무위원 겸 정법위 서기, 보시라이 전 충칭시 서기, 궈보슝, 쉬차이허우 전 당 중앙군사위 부주석, 쑨정차이 전 충칭시 서기, 링지화 전 통전부장 등이 포함돼 있었다. 후진타오 국가주석 시절 중국 천하를 호령했던 인물들이다. 처분을 받은 청국급廳局級, 청장 및 국장급 간부는 8,900여 명, 현처급縣處級, 현장, 처장급 간부는 6만 3,000여 명, 심지어 반부패 활동을 주도하고 있는 당 기율위 위원도 아홉 명이나 처벌받았다. 3,453명이 해외로 달아나 송환 대상이 됐으며 적색

**   언행과 식사에 조심하라.
친구를 만나고 사귀는 데 조심하라.
자기 발이 아무 곳이나 가도록
허락하지 마라. 받지 말아야 할
것을 받지 마라.**

부패척결의 총사령탑이 된 양샤오두

수배령이 내려진 100명 가운데 48명이 송환되거나 검거됐다.

결과를 발표하는 양샤오두의 말은 거칠고 단호했다. "당 관리가 한때 느슨해 쑨정차이 전 충칭 서기, 저우번순周本順 전 허베이성 서기 같은 '양면인'두 얼굴의 사람들이 나타났지만 앞으로는 이런 부패 분자들의 투기, 사리사욕이 결코 허용되지 않을 것"이라고 목소리를 높였다. 이후 공직자와 기업인을 향한 경고가 전쟁터에서나 지를 법한 포효 같았다는 말이 나왔다.

공산당 모태신앙

모든 공직자의 저승사자인 양샤오두는 상하이 혁명가 집안에서 태어났다. 부친은 상하이의 '홍색자본가'였다. 홍색자본가는 공산혁명과 사회주의 건설 그리고 중국 통일을 위해 분투한 자본가를 말한다. 그의 부친은 1921년 상하이에서 공산당이 창당되자 지하당원으로 가담해 각종 공작활동을 펼쳤다. 후에는 상하이 통전부장과 상하이 정치협상회의 고위 간부로 일했다. 가정환경이 이러니 양샤오두 주임은 공산주의가 모태신앙이다.

1970년 양샤오두는 안후이성 타이허太和현에 지식청년으로 하방돼 피폐한 농촌을 경험한다. 3년 후 집으로 돌아온 그는 상하이 중의학원에 입학해 약학을 배웠다. 공산당원으로서 인민의 건강을 책임지기 위해 스스로 택한 길이라고 한다. 졸업 후 그는 다시 집을 떠나 시짱으로 간다. 거주환경이 열악한 오지 주민들의 건강을 돕기 위해서였다. 물론 자신을 단련하고 미래 권력의 꿈을 키우기 위한 목적도 컸을 것이다. 그는 현지에 있는 나취那曲 지구 의약공사醫藥公司와 의원1976~86에서 근무하며 환자 치료에 몰두한다. 그렇게 10년

양샤오두는 제19차 당대회 기자회견장에 나타나
지난 5년간의 부패척결 성과를
숫자로 설명했다.
부패혐의로 처분받은 공직자는 무려 153만 명이었다.
이 중 사법처리 된 사람은 5만 8,000명으로
차관급 이상 고위 공직자는 440명이었다.

을 오로지 약자를 위한 의료 활동에만 열중했더니 벼슬길이 열리기 시작했다. 그의 성실함과 인민을 위한 봉사정신이 주변에 소문나면서 상급 부서에서 그를 일반 행정부서로 스카우트한 것이다. 33세이던 1986년 말 그렇게 나취지구 간부가 된 이후 창두昌都구 재정청장1995~98, 시짱자치구 부주석1998~2001까지 오른다.

2001년에는 갑자기 고향인 상하이가 그를 부른다. 그것도 부시장이라는 엄청난 자리였다. 양샤오두는 청운의 꿈을 안고 산간벽지 시짱으로 떠난 지 25년 만에 '금의환향'했다. 시짱을 떠나기 전 현지 간부들은 그를 이렇게 평가했다. "기개가 늠름하고 이상이 충만했다. 소박하고 검소했으며 어려움에 굴하지 않은 지도자였다." 관운도 좋았다. 2006년 상하이 통전부장에 올랐는데 다음 해인 2007년 시진핑이 상하이 서기로 부임해왔다. 통일전선 업무를 누구보다 중시하는 시진핑에게 양샤오두는 보배 중의 보배였다. 그의 청렴함과 소박함 그리고 강력한 기개와 리더십을 본 시진핑은 "크게 쓸 인물"이라고 평했다. 시진핑의 시자쥔 수첩에 이름을 올린 것이다. 시진핑은 양샤오두의 능력 못지않게 그가 혁명가 집안 출신이라는 점을 중시했다. 공산주의 사상에 충실하지 않고는 당의 고급 간부가 될 수 없다는 게 시진핑 '용인론'의 핵심이기 때문이다.

그는 상하이에서 사정기관과 인연을 맺었다. 2012년 5월 상하이시 기율위 서기에 임명됐는데 이때부터 부패를 때려잡는 그의 숨은 장기가 빛을 발한다. 2013년 8월 상하이 법관들이 연루된 매춘 사건이 대표적이다. 고위 법관들이 유흥업소에서 술을 마시고 집단으로 매춘한 사진이 시민들의 제보로 인터넷에 올라왔다. 양샤오두는 곧바로 칼을 빼들었다. 부패에 관한 한 그에게 용서라는 단어는 존재하지 않는다. 관련자 모두 사법처리됐는데 대부분 그가 잘 알던 법관들이었다고 한다. 이후 주변에서 부패에 관한 한 부모형제도 처벌할 사람이라는 비판까지 들었다. 사건 처리가 끝나자 그는 법관들에게 이렇게 당부한다. "언행과 식사에 조심하라. 친구를 만나고 사귀는 데 조심하라. 자기의 발이 아무 곳이나 가도록 허락하지 말라. 받지 말아야 할 것을 받지 마라." 시진핑은 당시 그의 활약을 보고 훗날 부패척결을 그에게 맡겨야겠다고 생각했을 것이다. 실제로 법관 매춘 사건이 발생한 지 1년이 지난 2014년 9월, 시진핑은 그를 당 기율위 부서기 후보로 지정한다. 이때부터 그는 왕치산 기율위 서기와 보조를 맞추며 시진핑 부패척결의 기수로 부상한다. 2014년 1월 예상대로 그는 기율위 부서기에 오르고 2016년 말에는 감찰부장까지 꿰찬다. 그렇게 부패척결 총사령탑을 거머쥔다. 언젠가 크게 쓰겠다는 시진핑의 말은 빈말이 아니었다. 시진핑 집권 2기 중국 공직자들이 가장 두려워하고 주목하는 게 바로 양샤오두의 '입'이 됐으니 말이다.

양샤오두 약력

- 1953년생, 고향은 상하이시, 상하이시 중의학원 약학과 졸업, 중앙당교 대학원 법학 이론 수학
- 1970~1973년: 안후이성 타이허현, 지식청년
- 1973~1976년: 상하이시 중의학원 약학과 수학
- 1976~2001년: 시짱자치구 나취지구 의약공사(醫藥公司) 서기, 시짱자치구 재정청장, 부주석

- 2001~2014년: 상하이시 부시장, 상하이시 기율위 서기, 통전부장
- 2014~2017년: 당 기율위 부서기, 감찰부장, 국가예방부패국 국장
- 2017~ : 정치국원, 중앙서기처 서기, 당 기율위 부서기, 감찰부장,
  국가예방부패국 국장
- 2018~ : 국가감찰위원회 주임

22   권력 배후의 언론인
왕천王晨 전국인민대표대회 부위원장

시진핑의 은인

제19차 당대회 이후 새로운 정치국원 명단이 발표됐을 때 모두 '의외'라고 생각했던 인물이 있다. 바로 왕천王晨,1950~ 전인대 부위원장이다. 정치국원이 어떤 자린가. 공산당원 8,800만 명 가운데 25명만이 선택받는, 그래서 영도자라는 칭호를 얻는 중국 권력의 핵심이 아닌가. 따라서 정치국원 자리는 항상 시진핑의 지근거리에 있거나 권력의 핵심 요직에 오른 인물에게 돌아가게 마련이다. 그러나 왕천은 권력과 비교적 거리를 둔 전인대 부위원장이었다. 경력도 그리 내세울 게 없다. 집안 배경이 좋은 것도 아니다. 그는 그저 성격이 원만하고 모든 이와 잘 어울리며 탁월한 조정능력을 갖춘 인물 정도로만 알려져 있었다. 그래서 베이징 정가에는 아직도 왜 그가 정치국원으로 발탁됐는지 모르는 이가 적지 않다.

벼슬길이 만개했던 2017년 그의 나이는 67세였다. 통상 68세가 되면 정치국원에 선임이 안 된다. 공산당의 '7상8하' 인사관례 때문이다. 그는 단 한 살 차이로 이 관례를 피했다. 시진핑이 권력을 강화하는 과정에서 특별한 역할을 한 것 같지도 않은 그에게 나이는 분명 불리하게 작용했을 것이다. 그런데도 정치국원에 오른 걸 보면 분명 세인이 모르는 뭔가가 있는 듯하다.

사실 그는 시진핑의 오랜 지기다. 중국 공직자들에게 최고 통치자와 친분이 있다는 것보다 뛰어난 실력은 없다. 둘의 만남은 1970년대 초로 거슬러 올라간다. 왕천의 고향은 베이징이다. 그는 1969~70년 산시성 옌안 이쥔현으로 하방돼 지식청년으로 가혹한 농촌 생활을 했다. 이후 그는 1970년부터 1974년까지 이쥔현에서 당 간부로 공직생활을 체험했다.

인연이라는 게 참 묘하다. 시진핑도 당시 지식청년으로 옌안의 량자허 마을에 있었다. 그 넓은 중국에서 시진핑과 왕천은 바로 옆 동네에서 그것도 같은 해에 하방생활을 시작한 것이다. 서로에게 위안이 됐고 동지애를 느낄 수밖에 없었다. 이후 둘은 똑같이 당 지부 간부까지 맡았다. 시간이 나는 대로 만나 서로의 경험을 공유했고 농촌의 열악한 환경을 개선하기 위해 토론을 벌였다. 게다가 둘 다 당시 천연기념물 대접을 받던 베이징 출신이기도 했다. 시진핑의 고향은 산시성 푸핑으로 기록돼 있는데 이는 부친인 시중쉰 전 부총리의 호적을 따랐기 때문으로 실제는 베이징에서 태어나 교육받았다. 시진핑은 국가 고위직 자녀들이 다니는 베이징 101중학교를 졸업했다. 서북 산간벽지에서 둘은 베이징 향우회 회장이자 멤버였다.

왕천과 시진핑의 인연은 이정도로 끝나지 않는다. 시진핑은 하방을 마치고 베이징으로 돌아가기 전 칭화 대학에 들어갈 생각을 하

" 중국의 권력 장악에
언론의 힘은 아무리
강조해도 지나치지 않는다. "

언론의 힘을 제대로 알았던 왕천

고 있었다. 당시는 문혁 기간이어서 대학 입시 대신 당 지부 간부들의 '추천서'가 필요했다. 하지만 시진핑의 부친 시중쉰 전 부총리가 반당反黨 분자로 몰려 복권이 안 된 상태였다. 그러자 왕천이 시진핑의 투철한 당성을 찬양하고 홍보하며 추천서 작성에 앞장섰다. 그 덕에 시진핑은 1975년 칭화 대학 화공과에 진학해 1979년 졸업한다. 왕천이 적극적으로 추천하지 않았다면 시진핑은 칭화 대학에 입학하지 못했을 수도 있었다. 여기에 대학 시절 시진핑이 경험한 지적 성숙, 인간적 성장 그리고 권력 강화 과정에서 엄청난 원군이 됐던 칭화 내학 인맥까지 생각하면 왕천은 시진핑에게 '일생의 은인'으로 불려도 모자람이 없다.

홍선紅船의 정신을 시대의 전면에

둘의 인연은 1974년 왕천이 당 기관지 가운데 하나인『광명일보』光明日報 기자로 전보되면서 이심전심의 관계로 발전한다. 이후 왕천은 22년 동안『광명일보』에서 언론인의 길을 걷는다. 그는 시진핑이 17년 동안 근무했던 푸젠성에 관한 소식을 꾸준히 보도하며 시진핑의 언론 관리사 역할을 자청했다.

『광명일보』는 1949년 신중국 수립과 함께 민주당파 주도로 창간됐다. 초창기에는 비공산당원에게 마르크스-레닌주의와 마오쩌둥 사상 전파에 주력했으나 이후 상업적 성격을 띠면서 지금은 기업정보, 과학기술, 생활밀착형 기사를 내보내는 미디어그룹으로 성장했다. 이 모든 게 20년 넘게『광명일보』에서 근무하며 총편집에 오른 왕천의 공이라는 데 이의를 제기할 사람은 없다.

2001년 당 기관지인『인민일보』총편집으로 자리를 옮긴 왕천은

왕천은 20년 넘게『광명일보』(아래)에서
근무했으며 2001년에는『인민일보』총편집에까지 오른다.
시진핑은 2005년에「홍선의 정신을 시대의 전면에」라는
제목으로 원고를 완성하는데
왕천은 이를『광명일보』에 신도록 권유한다.
『광명일보』가 지닌 상업성을 활용해야
더 큰 반향을 불러일으킬 수 있다는 이유였다.
이처럼 왕천은 시진핑의 언론 관리사 역할을 톡톡히 해냈다.

이듬해 사장이 되며 당 언론의 최고봉을 정복한다. 그러나 그는 자만하지 않았다. 곧바로 최고 언론이라는 권력에 취해 있던 『인민일보』 개혁에 돌입한다. 사회주의 사상의 효율적인 선전은 물론 과감한 투자를 통해 다가오는 디지털 시대에 대비하기 위해서였다. 오늘날 『인민일보』가 세계 최고의 디지털 망, 독자, 인력을 갖춘 언론사로 성장한 것은 그의 리더십과 무관하지 않다는 게 중국인들의 평가다.

그가 『인민일보』 사장으로 있던 2005년, 시진핑 당시 저장성 서기는 『광명일보』에 5,000자 분량의 원고를 기고한다. 제목은 「홍선紅船의 정신을 시대의 전면에」였다. 홍선에는 사연이 있다. 1921년 7월 상하이 프랑스 조계지에서 열릴 예정이었던 제1차 당대회가 당국의 단속 때문에 장소를 옮겨 자싱 난후南湖 호수의 유람선에서 비밀리에 열렸다. 마오쩌둥 등 초기 공산당 창당 멤버들은 배 위에서 대회를 마무리했고 그렇게 중국공산당이 태동했다. 훗날 이 유람선은 공산당을 상징하는 '홍선'붉은 배으로 불리며 어떤 역경도 이겨내는 불굴의 정신을 상징하게 된다.

당시 기고와 관련해 시진핑 서기의 연락을 받은 왕천은 『인민일보』가 아닌 『광명일보』에 싣기를 권했다고 한다. 왕천은 『광명일보』가 지닌 상업성을 활용해야 더 큰 반향을 불러일으킬 수 있다고 판단했다. 그가 20년 넘게 공을 들였던 『광명일보』의 대민 영향력을 시진핑이 활용하도록 자문한 것이다. 2017년 12월 초 『인민일보』와 『광명일보』 등 중국 유수의 언론이 일제히 '홍선' 정신을 강조하며 공산당 정신과 '시진핑 사상' 홍보에 나서게 된 배경이다. 시진핑은 당시 기고문에서 "천지개벽하며 용감히 앞장서는 선두정신, 이상을 견지하고 백절불굴하는 분투정신, 당을 앞세워 공익에 이바지하며 인민에 충성하는 봉사정신이 중국 혁명정신의 원천이다. 동시에 '붉은 배 정신'의 핵심 내용이다. 혁명 초심을 잃어서는 안 된다"라고 강조했다.

왕천은 탁월한 언론 경영능력을 인정받아 2008년 당 중앙선전부 부부장, 국무원 신문 판공실 주임장관급, 국가인터넷 정보 판공실 주임으로 승승장구한다. 시진핑도 그와 보조를 맞춰 정치국 상무위원에 올라 미래 대권 준비에 시동을 건다. 권력을 장악할 때 언론의 힘은 아무리 강조해도 지나치지 않는다는 걸 둘은 너무나 잘 알고 있었다.

2013년 3월 시진핑 총서기가 국가주석에 오르자 왕천은 곧바로 전인대 부위원장 겸 비서장으로 발탁된다. 그는 시진핑의 취임 이후 전면적인 개혁을 위한 법을 제정하고 제도를 마련했다. 이후 전인대에서 5년간 계속된 개혁 법안 발의와 통과는 왕천이 진두지휘했다 해도 과언이 아니다.

언론인 출신답게 그는 한국 언론과도 교류가 적지 않았다. 특히 『중앙일보』와 인연이 깊다. 베이징올림픽을 1년여 앞둔 2007년 5월, 홍석현 당시 『중앙일보』 회장이 『인민일보』를 방문해 두 언론사의 미디어 교류 활성화 방안 등을 집중적으로 논의했다. 왕천은 이 자리에서 "한국을 대표하는 『중앙일보』가 중국의 다양한 면모를 적극적으로 보도했다"라고 평가하며 "올림픽 취재와 보도 과정에서도 양측이 다각도로 협력하자"라고 제의한다. 두 언론사는 올림픽 기간에 전방위적인 협력을 통해 심층적이고 매력적인 기사를 쏟아냈다.

국무원 판공실 주임이던 2009년 4월 그는 다시 한국을 방문해 홍석현 회장과 "두 나라 간 오해를 없애고 우정을 넓히려면 양국 언론의 역할이 핵심"이라는 데 인식을 같이하며 우정을 쌓았다. 물론 『중앙일보』만이 아니다. 그는 『조선일보』와 KBS 등 한국 주류 언론들과 폭넓게 교류하며 한중 관계 발전에 양국 언론의 역할을 강조하고 있다. 한중 언론의 건전한 협력을 위해 왕천의 역할이 그만큼 중요하다는 얘기다.

왕천 약력

- 1950년생, 고향은 베이징시 중국 사회과학원 신문학과 졸업, 문학 석사
- 1969~1970년: 옌안시 이췐현 지식청년
- 1974~1979년: 『광명일보』 국내부 기자
- 1979~1982년: 중국 사회과학원 수학
- 1982~2000년: 『광명일보』 정치경제부 기자, 총편집실 주임, 총편집
- 2000~2001년: 당 중앙선전부 부부장
- 2001~2008년: 『인민일보』 총편집, 『일민일보』 사장
- 2008~2013년: 당 중앙선전부 부부장, 국무원 신문 판공실 주임, 국가인터넷 정보 판공실 주임
- 2013~2017년: 전인대 부위원장 겸 비서장
- 2017~ : 정치국원, 전인대 부위원장 겸 비서장,

23 호랑이 발톱을 숨긴 외교관
양제츠楊洁篪 중앙외사공작위원회 판공실 주임

중국의 대미 비선 외교채널 구축

중국 외교는 힘의 51퍼센트를 미국에 쏟는다는 얘기가 있다. 과반수를 넘었으니 사실상 중국 외교는 대부분 미국과 관련되어 있다고 해도 과언이 아니다. 다른 말로 풀면 주변국 외교든 개발도상국 외교든 중국의 모든 외교는 미중 관계의 종속변수라는 뜻이다. 이런 중국 외교의 실무를 책임지는 총사령탑이 양제츠楊洁篪, 1950~ 정치국원 겸 중앙외사공작위원회 판공실 주임이다. 시진핑을 도와 중대 외교현안의 기획·설계, 총괄·배치, 통합·조정을 맡는 중국 외교의 핵심 인물이다. 그의 전문 분야는 대미외교다.

양제츠는 1950년 5월 상하이에서 태어났다. 그의 이름은 고대중국어에 조예가 깊은 친척 어른이 지어준 것이라고 한다. 이름의 마지막 자 '츠'는 피리같이 생긴 대나무 관을 불어 연주하는 중국의 고대악기다. 중국인이라도 고대음악에 조예가 없으면 잘 모르는 한

자다. 실제로 리자오싱李肇星, 1940~ 전 외교부장이 2007년 그의 후임자인 양제츠 부장을 소개하면서 기자들에게 마지막 자의 훈을 물어본 적이 있었는데 대부분 기자가 몰랐다. '츠'에 포함된 호虎 자는 호랑이해에 태어났다는 의미를 담고 있다. 이름으로 양제츠 정치국원의 사주팔자를 풀어보면 외모는 악기의 운율처럼 부드럽고 자연스럽지만 마음 한구석에는 호랑이 같은 '야성'이 도사리고 있다는 의미가 된다. 실제로 그의 외모는 모범생 같고 순해 보이지만 가끔은 거친 발언과 행보로 상대를 깜짝 놀라게 한다.

양제츠의 벼슬길은 시대의 흐름을 반영한다. 1970년대 초 '핑퐁외교' 바람을 타고 외국어 능통자에 대한 수요가 높아지자 저우언라이 전 총리는 베이징, 난징, 상하이 등에 흩어져 있던 외국어학교 학생들을 외교부로 소집해 통번역 인재로 양성했다. 그 덕에 당시 상하이 외국어학원 부속중학교에 다니던 양제츠도 베이징으로 오게 된다. 전인대 화교위원회 주임을 맡고 있는 왕광야王光亞, 1950~ 는 중학교 시절 양제츠와 기숙사에서 한방을 썼을 정도로 각별한 사이다. 동갑인 그들은 1973년 영국 런던으로 유학까지 함께 가며 우정을 다진다.

당시 영국에서 유학한 학생 가운데 상하이에서 온 러아이메이樂愛妹는 훗날 양제츠의 아내가 된다. 1975년 귀국한 양제츠는 외교부 번역실 영문처에서 11년 동안 통번역을 담당했다. 1970년대 말부터는 덩샤오핑의 수행통역을 담당하는 행운을 거머쥔다. 최고 권력자의 통역을 담당했으니 출세를 예약한 것이나 다름없었다. 더구나 당시 중국 외교의 전부라 해도 과언이 아니었던 미국과 상대하는 자리에서 영어 통역을 맡았으니 금상첨화였다.

" 자동차 사고가 나서 한쪽은
사람이 크게 다치고 다른
한쪽은 차만 부서졌다면
어느 쪽이 먼저 사과해야
하느냐. "

외교현안, 특히 대미외교를 책임지는 양제츠

영어를 잘하니 화불단행禍不單行이 아니라 행불단행幸不單行이었다. 외교부 부부장이던 1977년 아버지 부시인 조지 부시George Bush, 1924~ 전 대통령이 가족 20명과 함께 중국을 찾았다. 중국 정부는 양제츠에게 부시 일가의 모든 일정 수행과 통역을 맡겼고 이게 계기가 돼 양제츠는 지금까지 부시 일가와 친분을 이어나가고 있다. 우연한 기회에 중국의 대미외교 비선 채널 하나를 구축한 셈이다. 행운도 이런 행운이 없다. 아버지 부시는 그의 이름에 '호'虎 자가 들어가 있다는 얘기를 듣고 그에게 '타이거 양'Tiger Yang이라는 별명까지 지어줬다. 싱가포르의 『연합조보』가 "만일 두 명의 부시 대통령이 중국에 우호적인 감정이 있다면 그것은 순전히 양제츠의 공이다"라고 전했을 정도다.

외교 강경파 사드 보복을 주도하다

물론 고비도 있었다. 양제츠는 2000년 2월 주미대사에 올랐는데 그해 4월 미 해군 정찰기가 하이난다오海南島 상공에서 중국 전투기와 충돌하는 사건이 발생한다. 양제츠의 능력이 시험대에 올랐다. 미국은 중국에 책임을 떠넘기며 억류된 미군 24명의 즉각적인 석방을 요구했고 양국 관계는 급속히 악화됐다. 양제츠는 미국 국무부와 의회를 하루 4~5차례씩 오가며 중국의 입장을 설명했다. 중국이 피해자니 미국이 사과해야 한다는 논리였다. 그는 CNN 등 미국 TV 방송에 두 차례 출연해 "자동차 사고가 나서 한쪽은 사람이 크게 다치고 다른 한쪽은 차만 부서졌다면 어느 쪽이 먼저 사과해야 하느냐"는 논리를 폈다. 일반인의 상식을 빌어 미국의 책임을 추궁한 것인데 이것이 통했다. 그의 발언 이후 미국 정부가 사과해야 한다는

미국 육군의 탄도탄 요격유도탄 사드(THAAD).
양제츠는 중국의 세계 전략의 중심에 있다.
남중국해 영유권 분쟁,
타이완 문제와 우리나라에 가한 사드보복까지
모두 그를 중심으로 한 강경파의
전략이다.

미국 국내 여론이 20퍼센트에서 단박에 50퍼센트로 올라갔다. 미국 정찰기는 무사히 안착했지만 중국 전투기는 추락하고 조종사가 실종된 점을 부각해 미국 국민의 공감을 이끌어낸 것이다. 이 같은 혁혁한 공에 힘입어 그는 2007년 꿈에도 그리던 외교부장에 오른다. 당시 57세로 36년 만에 최연소 외교부장 기록을 갈아치웠다.

그가 외교부장에 오르자 한 외교소식통은 "착하고 점잖아 보이지만 빈틈없는 협상가이자 능숙한 외교관"이라고 평가했다. 실제로 그는 중국의 외교굴기를 주도한 핵심 인물이다. 1980년대 덩샤오핑의 도광양회, 1990년대 장쩌민의 유소작위有所作爲, 필요한 역할은 한다, 2000년대 후진타오의 화평굴기和平崛起, 평화로운 부상로 그리고 오늘날 시진핑의 돌돌핍인 등 중국의 시대별 대외 전략 수립에 핵심 역할을 했다. 사드보복, 남중국해 영유권 분쟁, 타이완 문제와 관련된 시진핑의 강성 외교 이면에는 양제츠를 중심으로 한 강경파들이 버티고 있다는 얘기다. 한국에 대한 사드 보복 역시 그를 중심으로 한 강경파들이 주도한 것으로 알려져 있다. 물론 결정은 시진핑이 했지만 말이다.

중국 외교의 핵인 그에게는 아킬레스건이 하나 있는데 바로 건강이다. 2011년 후진타오 방미 준비 기간에 심장과 혈관 관련 수술을 한 것으로 알려져 있다. 그는 건강을 지키기 위해 수십 년 동안 테니스를 쳐왔다. 외교부장이던 2009년 "격무를 처리하고 있는데 오로지 테니스 라켓에 의지해 버티고 있다. 테니스를 치기 때문에 건강을 유지할 수 있으며 충분한 에너지로 외교무대에 설 수 있다"고 말했을 정도다. 역시 건강이 최고의 권력이자 실력인 모양이다.

양제츠 약력

• 1950년생, 고향은 상하이시 난징 대학 역사학과(세계사) 졸업, 사학 박사
• 1968~1972년: 상하이 전기시계 공장 공원
• 1973~1983년: 영국 바스 대학, 런던 정치경제대학 국제관계 수학, 외교부
　　　　　　　통번역사
• 1983~1995년: 주미대사관 참사, 외교부 주미대사관 부사장, 주미대사관
　　　　　　　공사
• 1995~2007년: 외교부 부부장(차관), 주미대사, 난징 대학 사학 박사
• 2007~2017년: 외교부장, 국무위원, 중앙외사공작위원회 영도소조 판공실
　　　　　　　주임
• 2017: 정치국원, 국무위원, 중앙외사공작위원회 영도소조 판공실 주임,
　　　중앙해양권익수호공작 영도소조 판공실 주임
• 2018~ : 정치국원, 중앙외사공작위원회 판공실 주임

24　권력의 쓸개

허이팅何毅亭 중앙당교 상무 부교장

시진핑의 마음과 머리를 읽다.

중국어에 문담文膽이라는 말이 있다. 담膽은 간肝과 함께 소화를 돕는 핵심 장기, 즉 쓸개다. 중국 지도자들은 자신의 연설문을 작성하는 참모를 쓸개처럼 중요하게 여겨 문담이라 부른다. 시진핑 국가주석의 문담은 누굴까. 한두 명은 아닌데 허이팅何毅亭, 1952~ 중앙당교 상무 부교장의 문재文才가 발군이라고 한다. 시진핑의 대부분 국내외 연설문은 그의 사유와 문장을 거쳐 탄생했다고 보면 틀림없다. 시진핑의 마음과 머리를 읽어낼 수 있는 능력이 있다는 얘기다.

그는 시진핑 1인 지배체제를 제도화한 제19차 당대회의 성과를 설명하기 위해 2017년 11월 21일부터 3일간 한국을 방문했다. 그는 방한 기간에 한국 정계 지도자들을 만나 책을 한 권씩 선물했는데 제목이 『시진핑의 7년 하방생활』이었다. 시진핑이 15세 때 황토고원인 산시성 옌안시 옌촨현의 량자허 마을로 하방돼 보냈던 7년간의 토굴생활을 기록한 책이다. 허이팅이 이 책을 한국 지도자들에게 선물했다는 건 여러 함의를 지닌다. 한국이 오늘의 중국을 이해하고 싶다면 먼저 시진핑의 '인생역정'부터 알라는 시사다. 동시에 시진핑에 대한 그의 이해와 추앙의 깊이를 에둘러 표현한 행보다. 이런 허이팅의 예지는 어디서 나왔을까?

허이팅의 고향은 산시성 한중漢中이다. 시진핑의 고향 푸핑에서 멀지 않아 동향이라고 봐도 무방하다. 그는 베이징 사범대학에서 사학을 전공해 석사까지 마친 역사학도다. 재학 시절 공부만 해서 공붓벌레로 통했다고 한다. 학업 성적이 특출했던 그는 지금도 종종 관료가 아닌 학자가 더 어울린다는 말을 듣는다.

허이팅은 1986년 졸업과 동시에 당 중앙판공청 판공실에서 사회생활을 시작했다. 천재나 막강한 집안배경이 없고서는 졸업과 동시에 그런 권부에서 근무할 수는 없는 일이다. 그는 전자에 속했다. 1989년 그는 중국공산당의 핵심 싱크탱크인 중앙정책연구실로 자리를 옮겨 20년 동안 국가의 핵심 전략과 핵심 정책을 개발한다. 그 세월을 함께한 이가 중국 최고의 책사이자 현대판 제갈량이라 불리는 왕후닝 정치국 상무위원 겸 중앙정책연구실 주임이다. 허이팅은 왕후닝을 도와 장쩌민, 후진타오, 시진핑의 통치 이념과 전략 개발에 주력한다. 후진타오의 '과학적 발전관'은 왕후닝이 창안한 것으로 알려져 있지만 허이팅이 주도해 설계했다는 게 정설이다. 실제로 그는 2007년 제17차 당대회가 끝나고 「제17차 당대회의 중대 의의를 논함」이라는 글에서 '과학적 발전관'을 왜 지지해야 하는지를 상세히 논술하고 홍보했다.

중앙정책연구실 시절 왕후닝과 막역한 사이이면서 선의의 경쟁

을 벌이기도 했다. 후진타오 국가주석 시절까지만 해도 왕후닝은 자타가 공인하는 제갈량이었지만 2013년 시진핑 취임 후에는 허이팅 쪽으로 무게중심이 서서히 옮겨가는 추세다. 더구나 왕후닝이 제19차 당대회에서 공산당 최고 지도부인 정치국 상무위원에 오르면서 시진핑의 통치 전략은 허이팅이 주도한다는 말까지 나온다. 이는 시진핑의 국내외 행사 연설문 작성도 상당 부분 허이팅의 손을 거쳐 완성된다는 말이다.

시진핑 1인 체제 구축에 특등공신

허이팅은 2013년 8월 『시진핑 총서기 주요 발언 학습』이라는 책을 펴내면서 '시진핑 사상'을 전파하는 전도사로 우뚝 선다. 동서고금을 넘나드는 그의 해박한 지식과 이론은 독자들의 눈과 마음뿐만 아니라 가치관과 철학까지 사로잡는 것으로 정평이 나 있다. 그의 역할이 커지면서 최근에는 왕후닝을 대체할 유일한 책사는 허이팅이라는 말까지 공공연히 나돌고 있다. 물론 둘은 전공 분야가 다르고 서로 밀접하게 협력하고 있어 여전히 두 축이 함께 시진핑 국가주석의 통치 이론을 창출한다는 게 일반적인 시각이다. 왕후닝이 정치와 통치학 원론에 정통한 반면 허이팅은 당 건설과 지도자의 이미지를 구축하는 데 천하제일이다. 중국에선 공산당의 이념과 사상이 여론의 공감대를 얻지 못하면 일당독재의 통치기반이 무너진다. 동시에 지도자와 리더십의 이미지는 연출된 그대로 통치 행위 전반에 구석구석 투영된다. 허이팅의 저서인 『지도자의 공공 이미지 예술』『현대 지도자의 철학적 사유』『리더십 지혜 양성의 길』『영도 간부의 새로운 비전』은 중국의 지도자들이 시진핑의 통치 스타일과

허이팅은 2013년 8월 『시진핑 총서기 주요 발언 학습』을 펴내면서
'시진핑 사상'을 전파하는 전도사로 우뚝선다.
중국에선 공산당의 이념과 사상이
여론의 공감대를 얻지 못하면 일당독재의 기반이 무너진다.
허이팅이 시진핑 1인 체제 구축의 특등공신인 이유다.

철학을 이해하기 위해 꼭 열독한다는 책들이다.

허이팅은 시진핑 1인 체제 구축의 특등공신이기도 하다. 여기에는 내막이 있다. 2012년 11월 제18차 당대회 직전, 국가부주석이자 중앙당교 교장이었던 시진핑은 공산당이 절대 권력을 행사하며 너무 부패해졌다고 갑자기 당의 순수성을 강조하고 나선다. 이윽고 당대회를 통해 총서기에 올라서자마자 '부패척결'을 말하고 이어 공직자 윤리지침인 '8항규정'을 발표한다. 이때 시진핑에게 당의 순수성과 부패척결의 연결을 조언한 이가 바로 허이팅이다. 이후 시진핑은 부패척결을 앞세워 보시라이 전 충칭시 서기, 저우융캉 전 정법위 서기 겸 정치국 상무위원, 쉬차이허우와 궈보슝 전 당 중앙군사위 부주석상장, 대장 격 등 수백 명의 정적을 제거하는 데 성공한다.

시진핑과 허이팅의 첫 만남이 언제인지는 알려져 있지 않다. 다만 2008년 5월 시진핑 당시 국가부주석이 산시성 뤠양略陽현에서 큰불이 난 현장을 둘러볼 때 허이팅 부교장이 수행했는데 이때부터 둘 사이가 급속도로 가까워졌다는 얘기가 있다. 고향에서 일어난 화재 참사를 둘러본 둘의 마음은 동병상련이었을 것이다. 그래서 동질감과 동료의식이 더 강해졌는지 모른다. 물론 실력이 없었다면 혈연관계라 하더라도 오늘날의 허이팅은 존재할 수 없었을 것이다.

2011년 8월 시진핑은 쓰촨四川성 순시를 하는데 허이팅을 꼭 찍어 수행하도록 한다. 그만큼 신뢰가 쌓였다는 방증이다. 허이팅 없이는 시진핑의 통치관도 없다는 뜻이다. 문담이 그만큼 중요하다는 건데 이를 방증하는 중국 고사도 있다.

후한後漢 초 광무제光武帝 때 장수 고준高峻이 반란을 일으켰다. 황제는 반란을 토벌하기 위해 구순寇恂을 파견한다. 그러나 고준은 난

공불락의 성채에 칩거하며 싸우려 들지 않았다. 대신 고준은 책사策師 황보문皇甫文을 보내 협상을 시작했다. 구순은 황보문이 당당하게 나오자 단칼에 목을 베어버린다. 구순은 "군사가 무례해 참했다. 항복하고자 하면 서두르고 아니면 굳게 지키라"며 고준에게 최후통첩을 보낸다. 한데 끝까지 저항할 줄 알았던 고준이 놀랍게도 투항했다.

　부하가 구순에게 고준이 항복한 연유를 물었다. 구순의 답은 이랬다. "황보문은 고준의 심복이자 책사다. 그가 직접 나와 강경한 발언을 하는 것은 항복할 마음이 없어서다. 죽이지 않았다면 황보문 때문에 우리가 패할 수도 있었다. 고준은 자신의 쓸개膽, 담로 여기던 핵심 참모를 잃자 바로 항복한 것이다." 문담이라는 말은 여기서 나왔다. 시진핑이 허이팅을 얼마나 중요하게 생각하는지를 가늠할 수 있는 고사이기도 하다.

허이팅 약력

• 1952년생, 고향은 산시성 한중시, 베이징 사범대학 역사학과 졸업
• 1979~1985년: 베이징시 사범대학 역사학과 학사, 석사
• 1986년: 당 중앙 판공실 근무, 부처장
• 1989년: 중앙정책연구실 처장, 조장
• 2000~2009년: 중앙정책연구실 부주임
• 2008~2013년: 과학적 발전관 시험 공작 영도소조원
• 2013~ : 중앙당교 상무 부교장

25 매서운 홍일점

쑨춘란係春蘭 중화인민공화국 국무원 부총리

공원工具에서 영도領導까지

중국 권력의 홍일점이다. 매서운 눈매로 중국의 7억 여성을 대
표한다. 여성 가운데 유일한 정치국원이자 부총리인 쑨춘란係春蘭,
1950~ 얘기다. 중국 권력에서 여성의 위상은 아직 미약하다. 수치가
말해준다. 중국공산당원 가운데 여성은 4분의 1에 불과하다. 성급
고위직 여성은 전체의 9퍼센트에도 못 미친다. "세상의 반은 여성"
婦女能頂半邊天 이라는 마오쩌둥의 명언이 무색하다.

권력의 외로운 홍일점 쑨춘란의 정치역정에는 항상 "공원工具에
서 영도領導까지"라는 말이 붙어 다닌다. 시계공장의 말단이었던 공
원에서 시작해 영도자라는 칭호를 받는 정치국원에 올랐기 때문이
다. 그 자리에 오르기까지 딱 43년이 걸렸다. 간단치 않은 인생역
정을 예상할 수 있다. 여성이지만 그의 권력 위상은 초라하지 않다.
2014년 12월 인사를 보자. 당시 시진핑은 '당 기율 위반'혐의로 조

사 중인 링지화 통일전선공작부장의 후임으로 쑨춘란 당시 톈진시 서기를 발탁했다. 모두 놀랐다. 링지화 부장은 시진핑과 대립했던 저우융캉 전 정치국 상무위원 겸 정법위 서기의 측근이었다. 그래서 쑨춘란의 통전부장 임명은 적장이 지휘하던 부대의 수습과 안정을 여성에게 맡겼다는 의미가 있다. 당시 두 가지 분석이 나왔다. 첫째, 쑨춘란의 정치력과 리더십이 믿을 만하고, 둘째, 통전부를 수습하고 개혁할 능력이 충분하다는 것이었다. 제19차 당대회에서는 여성 최초로 정치국 상무위원에 오르지 않겠느냐는 기대를 모으기도 했다. 물론 이런 기대는 이뤄지지 않았다.

쑨춘란이 맡았던 통일전선공작부는 중국의 계층, 계급, 정당, 집단, 민족, 국가, 종교를 하나로 통일하는 업무를 담당하는 기관이다. 또 소수민족과 종교계를 대표하는 인물들과 관계를 맺거나 타이완과의 통일, 홍콩, 마카오와의 통합 등에 대한 정책도 총괄한다. 특히 중국의 조국 통일, 즉 타이완과의 통일 관련 정책을 맡다 보니 국제 사회의 관심도 크다. 트럼프 미국 대통령이 취임하자마자 '하나의 중국' 원칙을 협상의 대상이라고 밝히면서 통전부의 대응이 주목받기도 했다. 어쨌든 통전부는 공산당 일당독재를 지탱하는 핵심 기관이다.

타이완을 주목하다

쑨춘란은 1950년 5월 허베이 라오양饒陽에서 태어났다. 가정환경은 그다지 유복하지 않았다. 그래서 1965년 랴오닝성 안산鞍山 공업기술학교에 입학했다. 먹고살려면 기술이라도 있어야 하던 때였다. 좀 더 나은 기술을 배우려고 찾았던 랴오닝성은 이후 그의 벼슬길의

“ 회사의 동의가 없어도
공회를 만들 수 있어야 하고
또 그렇게 되도록 할
것이다. ”

공회를 회사 동의 없이 만들 수 있게 한 쑨춘란

기반을 다지는 제2의 고향이 된다.

안산 공업기술학교 졸업 후인 1969년 그는 안산시의 시계공장 노동자로 취업하고 그곳에서 공원으로 5년을 근무한다. 당시만 해도 시계를 만드는 일은 정밀기계 공업으로 첨단기술 산업으로 대우받았다. 손목시계를 차고 있으면 귀인 대우를 받던 때였다. 그는 성실하게 일했고 여기에 그가 지닌 섬세함이 더해져 업무실적은 항상 공장 내 최고였다. 그 탁월한 업무능력 덕에 공청단 입단을 권유받았고 1973년 입단한다. 미래의 엘리트 공산당원을 배양하는 공청단은 그에게 절호의 기회였다. 당시 공청단에서 구축한 인맥과 거기서 단련한 리더십이 오늘날 그를 정치국원 자리에 올려놓았다고 해도 과언이 아니다. 그는 공장과 공청단 업무 모두 게을리하지 않았다. 3~4시간만 자고 일했다고 한다. 어느 조직이든 일을 잘하고 부지런하면 기회가 따르는 법이다. 1974년에는 안산시 제1경공업국 공청단 서기에 오르고 1978년에는 안산 화셴마오化纖毛 방직공장 간부가 되어 공장 당서기까지 차지한다. 쑨춘란은 그 정도로 만족하지 않았다. 1988년에는 안산시 부녀연합회 주임으로 발탁되면서 시 여성 조직의 최고 수장 자리에 오른다. 정계에서 여성 권력은 보잘것없었지만 여성의 역할이 분명히 존재하고 대우받던 시대였다.

쑨춘란은 그의 장기인 섬세함을 행정과 리더십에 활용하는 능력이 탁월했다. 대표적인 게 타이완과의 관계다. 그가 랴오닝성에서 공직생활을 할 때만 해도 중국의 개혁개방은 큰 성과를 보지 못했다. 기껏해야 타이완과 해외 화교들의 투자유치 정도였다. 쑨춘란은 현실을 직시했다. 그리고 타이완에 주목하기 시작한다. 2001년 다롄시 서기에 오른 그는 모든 시 간부에게 타이완 자본의 유치를 지시한다. 항구 도시인 다롄은 랴오닝성에서 교역交易 인프라가 가장 잘 갖춰진 곳이었다. 외자유치를 담당하는 공무원들은 하루가 멀다 하고 타이완으로 달려갔고 그가 다롄시 서기로 재직한 5년간 수십억 위안의 타이완 자본이 유치됐다.

타이완에 대한 그의 관심은 2005년 베이징에 입성해 전국총노조인 전국총공회 제1서기에 오른 후에도 계속된다. 2007년 6월에는 '제5차중국푸젠교역회'에도 참석했고 그 이후에도 여러 차례 푸젠성을 찾아 타이완 기업인들과의 네트워크를 넓혔다. 2009년 양안해협 공회 포럼이 베이징에서 개최됐을 때, 그녀는 연단에 올라 중국 공회와 타이완 공회의 협력, 즉 노조와 노조의 협력을 제안해 주목받기도 했다. 그가 25명의 정치국원 가운데 최고의 타이완 전문가라는 말이 나오는 이유다.

랴오닝성에서 40여 년을 보낸 쑨춘란은 2005년 드디어 베이징의 중앙무대로 진출한다. 전국총공회 제1서기였다. 당시 전국총공회 주석은 왕자오궈 전인대 상무 부위원장이었다. 그러나 주석은 상징적인 직책이고 실제 전국총공회의 행정을 책임지는건 제1서기 몫이었다. 시계공장 노동자 출신의 쑨춘란이 노조 행정의 최고 권력에 오른 것이다. 전국총공회는 중국 전역에 분포해 있는 공회의 연합체다. 공산당의 하부조직으로 1925년 결성됐고 1966년 문혁 때 해체됐다가 1974년 재건됐다. 쑨춘란은 공산당의 뿌리인 노동자 계급의 총사령탑이 된 것이다.

노조 활성화를 추진하다

쑨춘란은 공회 활성화를 위해 파격적인 조치를 취한다. 2007년에는 "회사의 동의가 없어도 공회를 만들 수 있어야 하고 또 그렇게 되도록 할 것이다. 현재 60퍼센트대에 머물고 있는 외자기업의 공회 설립률을 내년 가을까지는 70퍼센트로 끌어올릴 방침"이라고 폭탄선언을 한다. 외자기업들이 가장 경계하는 공회 설립을 회사 동의 없이 만들 수 있게 하는 '혁명'을 단행한 것이다. 중국의 노동법은 노동자가 자율적으로 공회를 설립할 수 있도록 하고 있지만 당시에는 외자유치 활성화를 위해 지방정부가 회사의 의견을 적극적으로 반영해주고 있었는데 이런 관행에 쐐기를 박은 것이나 다름없었다. 동시에 쑨춘란은 "공회는 노동자의 편도 자본가의 편도 아니며 둘 사이에 문제가 발생하지 않도록 예방하고 또 문제를 원만히 해결할 수 있도록 하는 존재"라며 외자기업들을 안심시키기 시작한다. 하지만 당시 외신들은 중국공산당이 전국총공회를 앞세워 중국에 진출한 외자기업들을 압박한다고 분석했는데 그들로서는 당연한 우려였다. 실제로 쑨춘란의 이 같은 조치 이후 중국에 진출한 많은 외자기업은 수많은 노사분규를 겪게 된다. 그러한 분규는 대부분 중국 노동자의 승리로 마무리되었다. 중국 노동자의 처지에서는 자신들의 노동권을 보호하고 임금상승까지 보장하는 '구세주'의 강림이었다.

노조의 활성화, 타이완에 대한 전문성과 거기에서 비롯된 혜안은 2009년 12월 그에게 푸젠성 서기 자리를 안긴다. 시진핑이 17년 동안 근무하면서 자신의 대권기반을 다졌던 지역을 맡는 중책이 부여된 것이다. 여성의 성 서기 등극은 1949년 신중국 수립 이후 세 번째였다. 첫 번째는 1977년 허베이성 서기에 임명된 뤼위란^{呂玉蘭}, 두 번째는 1985년 장시성 서기에 임명된 완샤오펀^{萬紹芬}이었다. 중국 권

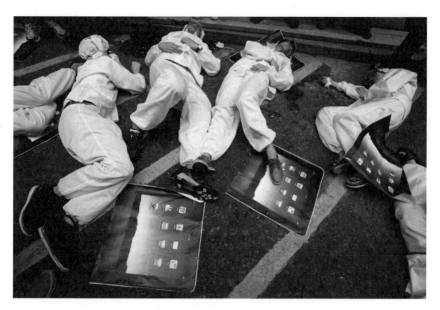

중국 팍스콘 노동자들의 시위 퍼포먼스.
쑨춘란은 외자기업들이 가장 경계하는 공회 설립을 회사 동의 없이
만들 수 있게 하는 '혁명'을 단행했다.
중국 노동자의 처지에서는 자신들의 노동권을 보호하고
임금상승까지 보장하는 '구세주'의 강림이었다.

력에서 여성의 위상이 미미한 시절이었다.

그는 푸젠성에서 다시 한번 타이완에 대한 전문성을 유감없이 발휘한다. 그의 서기 취임사는 이랬다. "매우 영광스럽지만 그만큼 책임이 막중해 어깨가 무겁다. 양안兩岸 간 경제·무역활동의 발전을 적극적으로 추진하겠다." 푸젠성 경제의 상당한 지분을 차지하고 있는 타이완과 타이완 기업에 대한 관리가 매우 중요하다는 걸 직시한 취임사였다. 그리고 그의 재임 기간2009~12 동안 푸젠성은 타이완과 화교 기업들의 천국으로 변한다.

그는 2010년 3월 전인대 기간에 중국 신문사와 한 인터뷰에서 "푸젠의 인민들은 봉사정신이 뛰어나며 승부욕이 강하다. 세계 각지에 1,200만 명이 넘는 푸젠성 출신 화교가 있으며 그들은 뛰어난 성과를 거두고 있다. 나는 푸젠성 출신 화교들이 자랑스럽다"라고 말한다. 이어 그는 "푸젠과 타이완은 지리, 혈연, 문화, 상업, 법률 등 5가지 방면에서 공통점이 많다. 푸젠성은 2009년 25억 달러의 타이완 자본을 유치했다. 2009년 무역액은 70억 달러고 누적 무역액은 400억 달러에 달한다. 푸젠성은 타이완과의 교역에 오랜 기간 축적된 경험이 있으며 이를 발전의 기반으로 삼겠다"라고 말하며 타이완을 유혹했다. 그해 6월 중국과 타이완은 자유무역협정FTA에 해당하는 경제협력기본협정ECFA을 체결했다. 최고의 타이완 전문가가 일궈낸 양안 협력의 최고 결과물이었다.

2012년 11월 그는 중국의 4대 직할시 가운데 한곳인 톈진시 서기에 오르며 정치국원으로 직행한다. 푸젠성 서기 시절 이뤄낸 양안 교류의 활성화와 안정화 그리고 미래의 통일을 위한 협력 강화를 시진핑이 높게 평가한 것이다. 그리고 2014년에는 통전부장으로 자리를 옮겨 타이완에 관한 그의 전문성을 유감없이 발휘한다. 그는 여성 최초의 정치국 상무위원에 오르진 못했다. 그러나 시계공장 공원에서 영도자 반열에 오르기까지 그가 겪었던 인생역정은 그 자체로 미래 중국의 여성 권력에 대한 희망을 쏘았다 할 수 있다.

쑨춘란 약력

- 1950년생, 고향은 허베이성 라오양현, 랴오닝 대학 경제학과 졸업, 중앙당교 대학원
- 1965~1974: 랴오닝성 안산 공업기술학교 수학, 안산 시계 공장 공원
- 1974~2005: 랴오닝성 안산시 공청단 서기, 방직 공장 서기, 랴오닝성 부녀 연맹 주석, 랴오닝성 부서기, 다롄시 서기
- 2005~2009년: 전국총공회 서기
- 2009~2012년: 푸젠성 서기
- 2012~2014년: 정치국원, 톈진시 서기
- 2014~2017년: 정치국원, 중앙 통전부 부장
- 2017~ : 정치국원
- 2018~ : 정치국원, 부총리

26 　리커창과 가까운 권력

천취안궈陳全国 신장 위구르자치구 서기

오지에서 칼을 갈다

중국 공직자들에게 시짱자치구와 신장新疆 위구르자치구는 민감한 지역이다. 근무환경이 워낙 열악해 대부분 부임을 꺼리는 지역이기도 하다. 그러나 미래 권력을 위해 손들고 달려가는 공직자도 있다. 이 두 지역에는 소수민족인 시짱족과 위구르족이 많이 거주하는데 끊임없이 독립을 추구하고 있어 공산당에게는 매우 골치 아픈 지역이다. 이들 지역은 안보적 차원, 즉 중국의 핵심이익과 관련 되기에 부임자의 통치능력으로 위기관리 리더십을 시험한다. 후진타오가 시짱자치구 서기 시절1988~92 현지 독립세력을 잔혹하게 유혈진압한 뒤 덩샤오핑에게 발탁된 게 좋은 예다. 그래서 시짱이든 신장이든 고난의 길이지만 잘만 하면 자신의 출세를 보장받는 보증수표가 된다. 물론 못하면 '꽝'이다. 권력, 특히 중국의 권력은 고난을 겪으며 단련되고 배양되는 경향이 있다. 변호사 하다, 교수 하다 하루아침에 권력의 중심으로 직행하는 한국과는 그 생태계가 근본적으로 다르다.

한데 시진핑 시대에 주목받는 리더 가운데 이 두 지역을 다 섭렵한 인물이 있다. 현재 정치국원 겸 신장 위구르자치구 서기를 맡고 있는 천취안궈陳全國, 1955~ 다. 그는 그 어렵다는 시짱자치구 서기 2011~16를 마치자마자 신장으로 이동해 현지 독립분자들과 일전을 벌이고 있다. 제19차 당대회에서 정치국원으로 승진한 것은 상당 부분 시짱과 신장 지역에 대한 그의 탁월한 관리능력 때문이라 할 수 있다.

천취안궈는 1955년 11월 허난성 핑위平輿현에서 출생했다. 문혁이 한창이던 1973년에는 인민해방군에 입대해 문혁의 험한 꼴을 경험했다. 권력이 잘못하면 백성이 어떤 고통을 겪는지를 철저하게 목격하고 경험했다고 한다. 그는 문혁 종료 직후인 1977년 제대해 허난성 주마뎬駐馬店구 자동차 부품공장에서 공원생활을 시작하는데 다음 해 대학입시가 부활된다. 그 기회를 놓칠 수 없어 열심히 공부했고 1978년 정저우鄭州 대학 정치경제학과에 입학했다.

변방에서 '권력의 칼'을 갈다

졸업 후 그는 핑위현 신뎬辛店공사 직원, 주마뎬구 판공실 비서, 주마뎬구 부비서장, 허난성 수이핑遂平현 서기, 허난성 핑딩산平頂山시 조직부 부장을 거쳐 1996년 허난성 뤄허漯河시 시장이 된다. 그리고 1998년 허난성 부성장에 오르면서 리커창이라는 인생의 귀인을 만난다. 리커창은 당시 공청단 제1서기에서 허난성 성장으로 부임해 왔다. 지방 경험이 없었던 리커창은 현지 사정에 밝은 원군이 필요

❝ 지금부터 저는 여러분과
마찬가지로 라싸시의 시민입니다.
더욱 살기 좋고 풍요로운
시짱을 만들어나가는 데 최선을
다하겠습니다. ❞

중앙의 핵심 요직보다 변방에서 '권력의 칼'을 갈고닦은 천취안궈

했다. 이때 허난성 부성장이었던 천취안궈는 아낌없이 리커창에게 도움을 준다. 당시 43세였던 천취안궈는 허난성에서 태어나 허난성에서만 공직생활을 한 현지 터줏대감이었다. 더구나 둘은 1955년생으로 동갑이었다. 둘은 때로는 상하 관계로 때로는 친구로 지내면서 인연을 쌓았고 서로의 복심腹心이 된다.

공청단의 핵심 권력인 리커창은 2002년 허난성 서기로 승진하는데 이듬해인 2003년 천취안궈도 허난성 부서기에 올라 7년간 리커창을 보좌한다. 이후 리커창은 랴오닝성 서기로 자리를 옮기고 천취안거는 계속해서 허난성 부서기직을 수행하며 리커창의 중원굴기 전략을 관리한다. 리커창은 허난성 서기로 근무하면서 상대적으로 소외된 중원 지역의 경제성장을 위해 대대적인 인프라 건설과 해외 자본 유치 전략을 구사했다. 그러나 그의 중원굴기 전략은 큰 실적을 내지 못했다는 비판을 받았다. 천취안거는 당시 후진타오의 가장 강력한 후계자로 부상 중이었던 리커창의 대권 행보를 관리하기 위해 허난성에 남아 중원굴기 전략에 대한 후속 정책을 집행하고 있었다.

리커창은 2007년 제17대 당대회에서 정치국 상무위원에 진입하며 차기 대권에 본격적으로 도전한다. 리커창의 후원 덕에 천취안궈는 2009년 허베이성 성장이 되었고 2011년 8월 정치국원이 되는 코스 가운데 하나인 시짱자치구 서기로 영전한다. 그가 2011년 허난성 성장 임기를 마치고 다음 임지를 고민할 때 리커창 당시 부총리가 강하게 시짱을 추천했다고 한다. 특별한 권력 배경이 없을 때는 험지에서 리더십을 단련하고 능력을 인정받아야 한다는 게 리커창의 지론이었다. 천취안거는 시짱에 도착한 지 4일 만에 라싸拉薩시

2013년 양회에서 시짱 고승을 시진핑 당시 총서기에게 소개하는 천취안궈.
천취안궈는 시짱족의 마음을 얻지 못하면
시짱 문제의 근본적인 해결이 어렵다고 판단했다.
그는 시짱에 도착한 지 4일 만에
라싸시의 루고 지구를 방문해 주민과 만났고
이 자리에서 풍요로운 시짱을 만들어가기 위해
최선을 다하겠다고 선언했다.

의 루고魯固 지구를 방문해 주민들과 만난다. 그리고 "지금부터 저는 여러분과 마찬가지로 라싸시의 시민입니다. 저는 앞으로 이곳을 가벼운 마음으로 자주 방문해 대화를 나눌 것입니다. 저는 반드시 모두와 함께 생각하며 고민을 나누고 공산당 중앙을 받들어 더욱 살기 좋고 풍요로운 시짱을 만들어나가는 데 최선을 다하겠습니다"라고 선언한다. 현지 시짱 족의 마음을 얻지 못하면 시짱 문제의 근본적인 해결이 어렵다는 게 그의 생각이었다. 『손자병법』에도 이런 말이 있다. "무릇 마음을 공격하는 것이 상책이고 성을 공격하는 것은 하책이며, 마음 전쟁이 상책이고 병력을 동원한 전쟁은 하책이다" 攻心爲上 攻城爲下 心戰爲上 兵戰爲下. 그의 이 같은 스킨십 전략은 전임자였던 장칭리張慶黎, 1951~ 서기가 보여줬던 강경 일변도 정책과의 차별화를 고려한 것이었다. 동시에 강경에서 유화로 전략을 조정한 데서 오는 충격효과도 노렸다. 중국판 햇볕정책이었던 셈이다. 천취안궈의 예상대로 이후 5년간 시짱은 무장투쟁이 감소했고 점차 안정을 찾아갔다. 그리고 이는 시진핑 시대에 그의 리더십이 인정받는 결정적 계기가 된다. 이것이 그가 2016년 8월 시짱을 떠나 신장 위구르자치구로 이동해 다시 국가의 핵심 이익을 쟁취하기 위한 또다른 오지와의 전쟁에 뛰어든 이유일 것이다. 양광陽光 넘치는 중앙의 핵심 요직보다 변방에서 '권력의 칼'을 갈고 정치국원에 입성한 '역발상 전략'이라 할 수 있다.

2017년 8월 실시된 신임 정치국원 예비경선 투표에서 천취안궈의 득표율은 25위에 들었고 결국 그해 10월 18일 시작된 제19차 당대회에서 정치국원에 올랐다. 시진핑의 측근들이 우글대는 중국 권력의 핵심부에서 시진핑과 진한 인연 없이 최고 권력에 오른 거의 유일한 인물이다. 물론 리커창이 그를 챙겼을 것이고 리커창의 몫으로 정치국원 자리를 얻었을 수 있다. 그러나 시짱과 신장에서 보여준 탁월한 리더십이 없었다면 오늘의 그도 없었다고 할 수 있다.

천취안궈 약력

- 1955년생, 고향은 허난성 핑위현, 정저우 대학 정치경제학과 졸업,
  우한(武漢) 이공대 관리학 박사
- 1973~1978년: 육군 1군 3사단 포병, 허난성 주마뎬시 자동차 부품공장 공원
- 1978~1981년: 정저우 대학 정치경제학과 수학
- 1981~1996년: 허난성 핑위현 신뎬공사 직원, 신뎬공사 부비서장,
  쑤이핑(遂平)현 서기, 핑딩산시 조직부장
- 1996~2011년: 허난성 부성장, 조직부장, 성장
- 2011~2016년: 시짱자치구 서기
- 2017~ : 정치국원, 신장 위구르자치구 서기, 신장생산건설 병단(兵團)
  제1정치위원

27 중국 법치의 종결자
저우창周強 최고인민법원 원장

법치 최후의 감독자

"중화인민공화국 헌법에 충실하고 헌법의 권위를 수호하며 법이 규정한 직책의 책임과 의무를 다하고 인민에 충성하며 직무에 최선을 다하고 청렴하며 공공의 이익을 위해 직분을 다하고 인민의 감독을 수용하며 부강한 민주 문명 그리고 조화롭고 아름다운 사회주의 현대화 강국을 만들기 위해 분투할 것을 맹세합니다."

2018년 3월 18일 오전, 베이징 인민대회당에서 열린 전인대에서 저우창周強, 1960~ 최고인민법원장대법원장 격이 결의에 찬 자세로 읽은 공직자 헌법 선서다. 이전 전인대에서도 최고인민법원장이었던 저우창의 목소리에는 재선의 감회가 어려 있었다. 동시에 권력의 다크호스에서 법치의 최후 감독자로 물러난 자신의 인생에 대한 회한도 묻어나오는 듯 했다.

후진타오 재임2003~12 시절 저우창은 후춘화 부총리와 함께 중국 정계의 차세대 대권주자로 주목받았다. 그는 후진타오가 이끌었던 공청단 세력의 핵심 인사 가운데 한 명이었다. 그러나 시진핑이 취임 후 공청단 세력을 비판하면서 그의 존재감도 옅어지고 있다. 저우창은 2017년 10월 열린 제19차 당대회에서 정치국원에 오르지 못하고 중앙위원에 머물렀다. 그의 벼슬길에 무슨 일이 있었던 걸까.

공청단의 다크호스

저우창은 1960년 4월 후베이성 황메이黃梅에서 태어났다. 부친 저우산자오周善敎는 황메이현의 부현장이었다. 넉넉하지는 않았지만 현의 간부 집안이라 먹고사는 데 큰 문제는 없었다. 저우창은 어릴 적 공부를 잘했다. 그의 꿈은 법관이었다. 그래서 1978년 중국 서남부의 최고 명문대학이었던 시난西南 정법 대학에 입학한다. 그의 법치 인생은 이렇게 시작됐다.

학창 시절 그는 공붓벌레였다. 그의 고등학교 담임이었던 저우성周勝은 "저우창은 학업성적이 매우 뛰어났다. 특히 문학작품을 많이 읽어 어문실력이 출중했다"고 회고한다. 저우창의 어머니 역시 "춘제설날나 휴일에도 저우창은 하루 종일 바깥에 나가지 않고 책만 읽었다"고 말한다. 1985년 7월 대학원에서 민법 전공으로 석사학위를 받은 그는 사법부 법규처에서 관료생활을 시작한다. 매사에 성실했고 학구적이었다. 법조계에서 최고로 평가하는 두 덕목을 다 갖추고 있었다. 그 덕에 그는 일반 직원에서 시작해 당 중앙판공청 부주임, 법제사 사장으로 고속 승진했다.

1995년 저우창은 공청단 중앙위원회 서기처 서기로 임지를 옮긴

❝ 서방의 삼권분립과
사법독립 등 잘못된 사상과
결연히 싸워야 한다. **❞**

일당독재 수호를 위한 최후의 보루가 된 저우창

다. 그는 이때부터 11년 동안 공청단 중앙에서 일한다. 2년 후 공청단 중앙위원회 서기처 상무서기차관급에 올랐고 1998년에는 38세의 나이로 리커창 현 총리로부터 공청단 제1서기장관급 자리를 물려받는다. 당시 중국 언론은 정가에 새로운 스타가 탄생했다고 대대적으로 보도했다. 후진타오를 이을 차세대 대권 주자라는 말도 나왔다.

공청단 제1서기로 8년간 근무하면서 그는 당에 충실했다. 공산당의 가치, 문화, 정치관에 한 치도 흐트러지지 않았다. 오죽하면 당시 그가 내건 공청단 구호가 '당이 결정하면 공청단은 행동한다'黨有號召 團有行動였을까. 그러면서도 역동적으로 일했다. 매사에 개혁적인 추진력도 보였다.

중국 정부가 1999년부터 대대적으로 전개한 '대학생 서부자원 프로그램'이나 창장강, 황허강 등 오염이 심각한 주요 강들을 살리는 '모친하母親河 보호 활동' 등은 모두 그가 당의 뜻을 받들어 추진한 사업들이다. 이 프로젝트들이 성공하자 누가 뭐라해도 차세대 총리 정도는 당연히 그의 것이라는 소문이 돌았다.

물론 그 과정에서 약간의 위기도 있었다. 공청단 제1서기로 있던 2006년 『빙점주간』冰点週刊이 '의화단사건'義和團事件, 청나라 말기에 일어난 외세 배척 운동을 다뤘다가 정간 처분을 당한 일이 발생했다. 『빙점주간』은 공청단 산하 일간지인 『중국청년보』中國靑年報 산하 주간지다. 정간 처분이 나오자 기자들이 항의했다. 그들의 저항은 공청단은 물론 공산당에 대한 불만으로 확대됐다. 의화단사건 하나도 제대로 다루지 못하는 현실에 대한 불만이기도 했다. 비판이 거세지자 후진타오 당시 국가주석은 그를 후난성 대리성장으로 보낸다. 2006년 9월의 일이다. 이듬해 2월 저우창은 후난성 성장에 오른다.

중국최고인민법원, 376명 신임 법관 헌법 선서 행사.
저우창은 2018년 3월 전인대에서 최고인민법원장으로 재선돼
시진핑이 강조하는 법치의 관리자가 됐다.
중국식 법치는 공산당이 삼권을 장악하는 것을 뜻한다.
그렇게 저우창은 공산당 일당독재 수호를 위한
법치 최후의 보루이자 전사가 됐다.

이때도『빙점주간』폐간에 대한 책임이 있는 인사의 성장 승진이 부당하다는 당 내부의 비판이 있었다. 그러나 후진타오를 정점으로한 공청단 세력은 귀를 막았다. 저우창의 앞길은 여전히 탄탄대로였다.

일당독재 수호를 위한 최후의 보루

저우창이 후난성 성장에 오른 2007년, 그의 나이는 47세였다. 당시 그는 중국 내 가장 젊은 지방정부 성장이었다. 누가 봐도 공청단 파의 선두주자였다. 그는 젊음을 앞세워 강하게 개혁을 추진했다. 성장에 취임하자마자 성 내 55개 행정 및 법 집행기관의 리스트를 일반에 공개했다. 그리고 각급 행정기관의 주요 사업과 정책을 결정할 때 일반인이 참여하는 포럼과 좌담회를 열게 했다. 행정의 투명성을 보장해 부패의 근원을 차단하려는 목적이었다.

2008년 4월에는 행정절차 규정까지 마련해 시행했다. 이는 중국에서 처음으로 시행되는 행정절차 규정이었다. 공권력 행사의 예측 가능성과 투명성을 높이기 위해 행정절차를 법으로 규정한 것이다. 2010년에는 규범·행정 재량권 법을 내놓아 공무원 재량권의 한계를 명확하게 규정하기까지 했다. 이런 그의 법치 개혁은 2010년『인민망』이 선정한 10대 지방 혁신제도 가운데 1위에 올랐다. 그러면서 그는 '법치성장'法治省長이라는 칭호를 얻었다. 앞서 2008년 그는 '중국 개혁개방 30년이 낳은 걸출한 인물'이라는 극찬을 받았다. 당 중앙에서도 그를 차세대 대권 주자로 주목했고 그에 대한 기대는 갈수록 커져갔다.

한데 호사다마라고 했던가. 그의 개혁은 인민의 비판권, 특히 언론매체의 비판권을 억압하고 정치체제와 의사결정 과정이 아닌 행정절차의 개혁에만 초점을 맞췄다는 비판이 일기 시작했다. 행정절차에 관해서는 법치와 투명성을 보장하면서도 언론이나 주민들의 이견에 부정적인 반응을 보였던 게 문제였다. 만사를 법으로만 해결하려고 한다는 비판도 일었다. 차세대 개혁 리더라는 이미지에 걸맞지 않게 보수적인 정치관을 가졌다는 비판이 당 안팎에서 나오기 시작한 것도 이때다.

저우창이 후난성을 떠나고 나서는 그의 개혁조치는 생각보다 큰 효과를 발휘하지 못했다는 비판마저 쏟아졌다. 결국 그는 2012년 11월 열린 제18차 당대회에서 정치국원이 되지 못한다. 그의 공청단 제1서기 후배였던 후춘화 당시 광둥성 서기와 농업부장 출신의 쑨정차이 당시 충칭시 서기가 정치국원에 올랐는데 말이다. 차세대 권력 다크호스의 첫 굴욕이었다.

저우창은 2017년 10월 열린 제19차 당대회에서도 정치국원과 정치국 상무위원에 오르지 못했다. 그러나 그의 정치 권력이 사라진 것은 아니다. 그는 2018년 3월 전인대에서 최고인민법원장으로 재선돼 시진핑이 강조하는 법치의 최후 수호자이자 관리자로 부활했다. 물론 그가 수호하는 법치는 서방의 법치와는 다르다.

저우창은 2017년 1월 13일 전국 법원장 회의에서 "서방의 삼권분립과 사법독립 등 잘못된 사상과 결연히 싸워야 한다"라는 충격적인 발언을 했다. 중국은 공산당이 삼권을 장악하는 법치를 해야 한다는 것이다. 시진핑이 강조하는 중국식 법치다. 저우창의 이 같은 발언 5일 후 홍콩의 『사우스차이나모닝포스트』SCMP는 린리궈 등 중국의 인권 변호사 19명이 사법독립을 부정하는 발언을 한 저우창의 퇴진을 촉구하는 탄원서에 서명했다고 보도했다. 양심있는 인사들의 비판도 있었다. 난징 대학 법학과 구샤오 교수는 "사법독립을 규정한 중국 헌법 제126조를 최고법원장이 부정했다. 이는 법치주의에 대한 도전"이라고 했다. 물론 이런 비판을 저우창이나 공산당이 들을 리 만무하다. 그렇게 저우창은 공산당 일당독재 수호를 위한 법치의 최후 보루이자 전사가 됐다.

저우창 약력

• 1960년생, 고향은 후베이성 황메이시, 서남정법학원 졸업, 법학 석사
• 1976~1978: 황메이현 지식청년
• 1978~1985년: 서남정법학원 수학, 대학원 민법 전공
• 1985~1995년: 사법부 정책연구실 간부, 사법부 판공실 주임, 사법부
　　　　　　　법제사장
• 1995~2006년: 공청단 중앙서기처 서기, 공청단 중앙서기처 제1서기
• 2006~2013년: 후난성 대리성장, 성장, 서기
• 2013~ : 최고인민법원 원장

4

230만 군부의 삼각 핵

"권력은 총구에서 나온다." 마오쩌둥의 말이다. 시대가 변하면서 서방 국가에서는 더 이상 통하지 않는 권력의 속성이다. 그러나 중국에서는 아직도 유효하다. 중국의 권력은 공산당과 인민해방군이 융합하고 동거할 때 완성된다고 할 수 있다. 시진핑이 군을 장악하기 위해 30년 넘게 공을 들이고 관리한 이유다.

현재 중국군 개혁이 한창이다. 이미 이전 7대 군구軍區를 5대 전구戰區로 통폐합했고 총참모부, 총정치부, 총후근부, 총장비부 등 4총부 체제를 해체했다. 대신 육군통합지휘 기구와 함께 제2포병부대를 대신하는 로켓군, 전자·정보·우주작전 수행을 지원할 전략지원부대까지 신설했다. 이 모든 개혁을 시진핑을 대신해 지휘하는 3인방이 있다.

28　우주를 보는 창공의 황제

쉬치량許其亮 중국공산당 중앙군사위 부주석

중국 하늘의 황제

2017년 3월 9일, 중국 관영 CCTV는 전 세계가 주목할 만한 뉴스를 전한다. 젠殲-20 스텔스 전투기가 중국 공군에 정식 배치됐다는 내용이었다. 1997년 개발에 착수한 이후 만 20년 만에 자력으로 5세대 전투기를 실전 배치하는 데 성공했다는 뜻이다. '젠'은 '섬멸한다', 즉 '모두 죽인다'는 뜻이니 이 전투기는 이름부터가 섬뜩하다. 미국 등 서방 국가들은 그 내용을 의심하며 이렇게 평가했다. "엔진은 물론 핵심 부품은 러시아 등에서 수입한 외제여서 중국산이라고 하기 어렵다." 중국 공군이 화가 났던 모양이다. 나흘 뒤인 3월 13일 『중국일보』는 중국 공군 관계자의 말을 인용해 조만간 젠-20의 엔진이 국산으로 대체될 것이라는 보도를 내놓는다. 자존심은 회복했을지 몰라도 일단 젠-20에 탑재된 엔진이 중국산은 아니라는 건 인정한 셈이 됐다.

그러나 중국의 군사전문가들은 부품의 몇 퍼센트가 외제든 개의 치 않고 젠-20의 성능이 미국의 어떤 5세대 전투기와 비교해도 손색이 없다고 자신한다. 특히 한국이 도입할 예정인 미국의 F-35A 스텔스 전투기보다 성능이 뛰어나다고 홍보하고 있다. 중국의 이런 자신감 뒤에는 한 인물이 버티고 있다. 바로 쉬치량許其亮, 1950~ 정치국원 겸 당 중앙군사위 부주석이다. 그는 46년간1966~2012 공군에 복무하며 조종사, 사단장, 군단장, 참모장, 공군 사령관을 거친 그야말로 중국 공군의 산증인이자 대명사다. 군에서는 '중국 하늘의 황제'로 불린다.

쉬치량의 인생은 전투기, 특히 젠-10, 젠-20과 동행한다. 세계 최강 미 공군에 대적하기 위해서는 스텔스 전투기 외에는 대안이 없다는 게 그의 신념이다. 그래서 공군 참모장1994~99으로 복무하던 1997년, 열악한 중국 공군의 비상을 위해 젠 시리즈 전투기 개발에 착수한다. 핵심 부품 하나 제대로 만들지 못했던 때, 5세대 스텔스 전투기 개발을 시도한 그의 무모함은 10년 후 결실을 맺는다. 그는 공군 사령관2007~12으로 있던 2011년 1월 11일, 젠-20이 굉음과 함께 창공을 가르자 눈물을 훔쳤다고 한다젠-20의 첫 시험 비행은 2009년 10월에 이뤄졌지만 중국 공군은 2011년 1월 11일 비행을 완벽하게 성공한 비행으로 기록하고 있다. 당시 흥분한 쉬치량 사령관은 "2014년 대량 생산을 시작해 2015년 가을부터 실전 배치하겠다"고 호언장담했다. 그러나 젠-20은 비행 과정에서 여러 가지 문제점이 노출돼 실제 배치는 그보다 2년 늦게 이뤄졌다. 어쨌든 그의 자신감 덕에 중국은 미국, 러시아와 함께 스텔스 전투기를 생산하는 국가가 됐다물론 이건 중국의 주장일 뿐 서방 국가들은 아직도 중국이 진정한 의미의 스텔스 전투기를 생산할 수 있는지 의심하고 있다.

" 늘대를 대장으로 하는
양의 무리와 양을 대장으로 하는
늘대의 무리가 전투를
벌인다면 양의 무리가
반드시 이긴다. "

스텔스 전투기 개발에 일생을 바친 쉬치량

늑대 리더십

쉬치량은 1950년 산둥성 린취臨朐현의 가난한 농민 가정에서 태어났다. 그가 공군 사령관에 취임하던 2007년 한 매체가 그의 아버지가 인민해방군 전 공군 부정치위원중장이었던 쉬러푸許樂夫라고 보도했는데 이는 오보로 밝혀졌다. 사실 중국군 장성들의 가정 내력은 비밀이다. 행여 공개되면 적에게 악용될 수 있다는 우려 때문이다. 어릴 적 쉬치량의 꿈은 창공을 가르는 조종사였다. 그래서 그는 16세인 1966년 인민해방군 공군 제1항공 예비학교에 입학해 조종술을 배운다. 그는 꿈을 향해 자신의 모든 것을 걸었다고 한다. 1년 뒤 공산당에 가입하고 동시에 제8, 제5항공학교로 전학을 간다. 그의 조종술도 진화를 거듭했다. 1969년에는 꿈에 그리던 전투기 조종사가 된다.

그는 공군 조종사 시절 매사에 덕을 중시하면서도 군인으로서 맡은 바에 충실했다. 그래서 중국 공군은 그의 리더십의 핵심을 '조화'에서 찾는다. 그와 함께 근무했던 부하들은 그가 지휘관으로 취임할 때 한 "군인의 천직은 명령에 복종하는 것이다"라는 말을 기억한다. 공군의 한 관계자는 공군 사령관 시절 그의 발언을 이렇게 소개했다. "쉬치량 사령관이 자주 하는 말 가운데 하나는 늑대를 대장으로 하는 양의 무리와 양을 대장으로 하는 늑대의 무리가 전투를 벌인다면 양의 무리가 반드시 이긴다由狼作首領的羊群定會勝過由羊作首領的狼群는 것이다." 병사 개개인이 아무리 강해도 지휘관이 무능하면, 특히 병사들이 단결하지 못하고 군령이 서지 않으면 전쟁에서 진다는 뜻이다. 유능한 리더십과 명령에 복종하는 군인 정신이 승리의 요체라는 게 '쉬차이허우 병법'이다.

쉬치량은 '중국 하늘의 황제'로 불린다.
그의 인생은 젠-10(위), 젠-20과 동행한다.
핵심부품 하나 제대로 만들지 못했던 1997년,
젠 시리즈 전투기 개발에 착수한 그의 무모한 도전은 10년 후 결실을 본다.
그는 공군 사령관으로 있던
2011년 1월 11일 젠-20이 창공을 가르자
눈물을 훔쳤다.

1985년 상하이 공군 사령부의 참모장으로 복무하던 시절, 그는 장쩌민 당시 상하이시 서기와 인연을 맺는다. 장쩌민은 덕을 강조하면서도 철저한 군인 정신으로 무장한 그에게 반했다고 한다. 그렇게 그는 장쩌민의 사람이 됐고 이어 후진타오와 시진핑 시대에도 국군의 핵심 지휘관으로 자리 잡았다. 덕을 앞세운 조화의 리더십 때문이라고 할 수 있다.

쉬치량이 스텔스기에 처음 관심을 품은 것은 1991년이다. 계기가 있었다. 당시 공군의 군단 사령관소장으로 진급한 그는 소련에서 수입한 수호이-27을 직접 조종하는 행운을 누린다. 이후 『인민일보』에 기고한 글을 통해 그 소회를 이렇게 밝힌다. "조종실이 넓어 큰 말을 타는 듯했다. 엔진은 거대한 추진력을 내뿜었으며 불과 400미터를 달린 후 이륙했다. 조종사의 시야를 한참 벗어난 100킬로미터 바깥의 목표물까지 정확히 조준할 수 있었다. 첨단 전자장비로 신속하게 목표를 조준할 수 있었고, 각종 데이터가 수시로 모니터에 나타났다. 우리 중국이 어서 빨리 수호이-27을 능가하는 첨단 전투기를 보유해야 한다는 마음이 강렬하게 일었다. 이후 나는 전투기 고도화에 인생을 걸었다. 우선 젠-10의 연구, 생산, 시험비행에 사활을 걸었다." 그리고 젠-10은 연구개발 13년 후인 2004년 실전 배치된다.

젠-10이 실전 배치되자 그는 곧바로 젠-20 개발을 준비한다. 그렇게 또 수십 년을 앞서간다. 공군 사령관이었던 2009년 그는 공군 창설 60주년을 앞두고 『해방군보』解放軍報와 한 인터뷰에서 "우주무기 배치 등을 포함한 무기체계 구축을 계획 중이며 이는 역사적으로 불가피한 일이다. 각국의 군비경쟁은 대기권을 넘어 우주로 확대

되고 있으며 우주를 통제하는 자가 군사적 우위를 점할 수 있다. 이 같은 추세는 역사적으로 필연이며 되돌릴 수 없는 것이기 때문에 인민해방군도 우주안전, 우주이익, 우주개발 등에 관한 개념을 세워야 한다"고 강조한다. 스텔스 전투기에 관한 개념조차 정립하지 못하던 시절, 우주공군 개념을 설파하고 대비를 독려한 것이다. 이처럼 그는 최강 공군을 위해 10년, 20년 앞을 내다보고 달린다. 시진핑에 이어 군의 2인자가 된 데는 다 이유가 있는 법이다.

쉬치량 약력

- 1950년생, 고향은 산둥성 린추(臨朐)현, 공군 제5항공학교 졸업
- 1966~1969년: 공군 제1 항공 예비학교 수학, 공군 제8, 제5 항공학교 수학
- 1969~1984년: 공군 26사단 조종사, 독립 대대장, 부사단장, 사단장
- 1984~1988년: 공군 제4군 부군장, 공군 상하이 지휘소 참모장, 국방대학 연수
- 1988~1993년: 공군 제8군 참모장, 군장
- 1993~1999년: 공군 부참모장, 공군 참모장
- 1999~2007년: 선양 군구 부사령관, 인민해방군 부참모장, 공군 사령관
- 2007~2013년: 당 중앙군사위 위원, 공군 사령관, 정치국원, 당 중앙군사위 부주석
- 2013~ : 정치국원, 당 중앙군사위 부주석

29 전설의 전투영웅

장유샤張又俠 중국공산당 중앙군사위 부주석

보이보 부대에서 맺은 인연

2017년 10월 중국공산당 제19차 당대회가 끝나고 주목받은 장군이 있다. 군 출신으로 유일하게 정치국원에 새로 진입한 장유샤張又俠, 1950~ 다. 그는 당 중앙군사위 부주석이다. 당 중앙군사위 장비발전부장인 그를 당 중앙군사위 부주석에 발탁하고 정치국원 진입까지 지원한 인물은 시진핑이다. 이 정도면 시진핑의 군 대리인이라고 해도 과언이 아니다. 일부 정치분석가들은 시진핑의 군 장악에서 장유샤의 역할은 유비 옆의 제갈량과 같다고 평한다.

장유샤는 호적상 산시성 웨이난渭南이 고향이지만 실제 태어난 곳은 베이징이다. 시진핑의 호적상 고향이 부친의 호적을 따라 산시성 푸펑이지만 실제 태어난 곳은 베이징인 것과 같다. 이런 인연으로 그는 시진핑이 관리하는 군내 대표적인 산시방이라는 말을 듣는다. 그의 아버지는 혁명원로였던 장쭝쉰張宗遜, 1908~98 전 인민해방군 부총참모장으로 마오쩌둥이 가장 존경하고 아꼈던 장군이다. 역시 시진핑과 같은 태자당에 속한다.

장유샤는 인생 자체가 군인이다. 그는 18세였던 1968년 쿤밍에 있는 육군 14집단군 40사단에 들어가 말단 사병으로 군생활을 시작했다. 그리고 같은 부대에서 연대장, 부사단장, 사단장1990~94을 거친다. 무려 26년간 같은 사단에서 군생활을 한 아주 특이한 경력의 군인이라 할 수 있다. 한데 14집단군 40사단은 중국군과 시진핑에게 좀 특별한 부대다. 이 부대의 전신은 혁명원로 가운데 한 명인 보이보薄一波, 1980~2007 전 부총리가 만든 항일 결사유격대다. 보이보는 실각한 보시라이 전 충칭시 서기의 부친이다. 훗날 이 부대는 인민해방군의 전신인 홍군에 편입됐고 오늘날 14집단군으로 확대·개편됐다. 보이보의 군대라고 해도 전혀 이상하지 않다. 지금도 항일 투쟁의 역사를 자랑스러워하고 그래서 최정예 부대라는 자부심이 대단하다. 그런데 이 부대를 통해 시진핑과 장유샤가 서로의 신뢰를 다지는 사건이 발생한다. 2012년 초 충칭에서 일어난 일이다. 당시 충칭시 서기는 그해 11월 열리는 제18차 당대회에서 정치국 상무위원 진입이 유력했던 보시라이였다. 보시라이는 기고만장했다. 사회과학원에서 국제 매스컴을 전공한 석사답게 포퓰리즘도 대단했다. 그는 충칭시 서기에 취임하자마자 '창훙다헤이'唱紅打黑, 공산혁명을 찬양하고 조폭을 소탕한다를 외쳤고 국내외 언론의 관심을 독차지했다. 보시라이가 최소한 총리, 아니 시진핑을 제치고 당 총서기 자리를 노리고 있다는 소문까지 돌았다. 그런데 호사다마好事多魔였다. 갑자기 사건이 터진다. 그의 부인인 구카이라이谷開來, 1958~ 가 영국인 닐 헤이우드Neil Heywood, 1970~2011를 독살한 것이다. 헤이우드는 보시라

> **"** 보이보가 만든 항일 유격대
> 14집단군 40사단 정신을
> 그대로 발휘해 승리를
> 거뒀다. **"**

26년간 14집단군 40사단에서 근무한 장유샤

이 집안과의 오랜 친분으로 동업하고 있었는데 돈 문제 등으로 다툼이 생기자 구카이라이가 헤이우드를 충칭시 안가로 유인해 독살한 것이다. 증거를 없애기 위해 시신을 화장하기까지 했다.

쿠데타를 저지하다

이 사건은 당시 충칭시 공안국장이었던 왕리쥔에게 보고됐고 왕리쥔은 사건 전모를 보시라이에게 보고할 수밖에 없었다. 한데 보고를 받던 보시라이가 느닷없이 왕리쥔의 뺨을 후려친다. 알아서 조용히 처리하면 될 걸 보고한다는 거였다. 신변에 위협을 느낀 왕리쥔은 곧바로 쓰촨성 청두成都에 있는 미국 총영사관으로 피신해 망명을 요청한다. 물론 그는 보시라이와 관련된 수많은 기밀자료가 있었다. 여기에는 보시라이가 후진타오 당시 국가주석과 시진핑 국가부주석 등 당 최고 지도부의 기밀전화를 도청한 자료까지 포함돼 있었다고 한다. 정국이 극도의 혼란에 빠진 것은 너무나 당연했다.

왕리쥔이 미국 총영사관으로 피신하자 보시라이는 황치판黃奇帆, 1952~ 당시 충칭 시장에게 지시해 경찰차와 군 장갑차 수십 대를 동원, 총영사관을 에워싸고 언제라도 공격할 태세를 취하도록 했다. 실제로 보시라이는 5,000정의 자동소총과 50만 발의 탄약까지 준비했던 것으로 알려졌다. 그러나 다음 날인 2월 7일 밤 베이징에서 청두로 날아온 국가안전부와 당 기율위 위원, 국방부 장교가 왕리쥔의 신병을 확보해 베이징으로 돌아간다.

사태의 심각성을 느낀 보시라이는 다음 날 충칭에 주둔하는 부대 일부를 직접 이끌고 군용기 편으로 윈난雲南성 쿤밍昆明으로 날아간다. 쿤밍은 충칭시, 쓰촨성, 윈난성, 시짱자치구 등을 관할하는 청두

보시라이가 14집단군을 앞세워 쿠데타를 모의한다는 정보를 입수하자
당시 국가부주석이었던 시진핑은 선양 군구 사령관이었던
장유샤를 통해 사태파악에 나선다.
장유샤는 부대 내 친분이 두터운 핵심 부대장들을 설득했고
핵심 지휘관이 대부분 장유샤의 설득에 넘어가자
보시라이의 쿠데타는 결국 무산된다.

군구의 주요 기지가 있는 곳이다. 더구나 쿤밍에는 그의 부친인 보이보 전 총리가 만든 제14집단군의 사령부가 있었다. 보시라이는 제14집단군을 자신만의 군대라고 믿었다. 이런 배경 때문에 보시라이가 충칭에 부임하자 현지에선 그를 중앙도 손쓰기 어려운 중국 서남부의 왕, 즉 '서남왕'西南王이라고 부르기도 했다.

실각을 우려한 보시라이가 제14집단군을 앞세워 쿠데타를 모의한다는 정보를 입수하자 후진타오는 곧바로 수개 사단에 명령해 쿤밍으로 향하도록 한다. 당시 국가부주석이었던 시진핑도 동향인 장유샤의 도움을 받아 사태파악에 나섰다. 당시 장유샤는 선양 군구 사령관이었다. 참고로 선양 군구는 한반도 유사시 가장 먼저 출동하는 군이다. 그래서 최신식 무기로 무장한 정예부대가 집합한 군구다. 쿠데타를 막으라는 시진핑 국가부주석의 지시를 받은 장유샤 사령관이 제14집단군 내 각 부대장과 병력의 동요를 막기 위해 최선을 다했을 것은 불문가지다. 26년간 제14집단군에서 근무한 장유샤는 부대 내 친분이 두터운 핵심 부대장들을 설득했고 보시라이의 쿠데타는 결국 무산된다. 당시 보시라이는 후진타오의 지시를 받은 대규모 부대가 쿤밍으로 진군한 데다 핵심 지휘관이 대부분 장유샤의 설득에 넘어가 쿠데타에 부정적인 태도를 보이자 충칭으로 철수할 수밖에 없었다. 그리고 그에게 주어진 천명을 스스로 받아들인다. 이후 그는 부패와 국가기밀 누설 등의 혐의로 기소돼 무기징역을 선고받았다.

이 사건으로 장유샤는 시진핑 당시 국가부주석은 물론 후진타오에게도 신뢰받는 인물로 급부상한다. 그는 쿠데타를 무혈로 막은 일등공신이었다. 시진핑은 집권하자마자 장유샤를 인민해방군의 모든 장비를 현대화하는 책무를 맡은 장비부장에 임명한다. 2015년에는 당 중앙군사위 장비 발전부장에 오르면서 중국군의 장비를 현대화하기 위해 박차를 가한다. 2013년 6월 중국의 유인 왕복선 선저우神舟 10호, 2015년 8월의 선저우 11호 발사의 성공은 모두 그의 지휘 아래 일궈낸 중국 우주무장능력의 현대화라 할 수 있다. 중국 우주 굴기의 최전방에 그가 있다는 얘기다.

그렇다고 장유샤가 꽃길만을 걸어온 건 아니다. 그는 타고난 무장이다. 그에게는 '장수 가문의 용장'將門虎子이라는 별명이 따라다닌다. 1979년 중국과 베트남 사이에 벌어진 전쟁에 참전해 혁혁한 공을 세운 후 얻은 별명이다. 당시 그는 중대장으로 참전해 수개 대대 병력의 베트남 군을 궤멸시켰다고 한다. 1984년에는 중국과 베트남의 국경에 있는 라오산老山을 놓고 한바탕 전투가 벌어졌는데 역시 전투영웅이 된다. 당시 그는 연대장으로 참전해 베트남 군이 점령하고 있던 라오산 최고 봉오리인 쑹마오링松毛嶺, 해발 662미터을 단 9분 만에 점령하는 전설적인 기록을 세웠다.

이어서 다른 봉우리 18개를 두 시간 만에 점령하며 라오산 전투의 영웅이 된다. 그렇게 빠른 시간에 고지를 점령한 비결은 뭘까. 그는 전쟁 후 "보이보가 만든 항일 유격대 정신을 그대로 발휘해 승리를 거뒀다"라고 소감을 밝힌다. 그러나 그의 출세길은 보이보와 보시라이 편에서 열리지 않았다. 얄궂게도 보이보의 아들 보시라이를 저지한 대가로 꽃길을 보장받고 있다. 권력의 아이러니다.

장유샤 약력

- 1950년생. 고향은 산시성 위남(渭南)시, 군사학원 기본학과 졸업
- 1968~1994년: 육군 제14군 40사단 병사, 중대장, 참모장, 연대장, 사단장
- 1994~2005년: 육군 제13군 부군장, 군장
- 2005~2012년: 베이징 군구 부사령관, 선양 군구 사령관
- 2012~2017년: 당 중앙군사위 위원, 인민해방군 총장비부장, 당 중앙군사위
  장비발전부장
- 2017~ : 정치국원, 당 중앙군사위 부주석
- 2018~ : 당 중앙군사위 부주석

30 　중국군 최고의 강경파
리쭤청李作成 중국공산당 중앙군사위 연합참모부 참모장

돌아온 늑대

시진핑은 "싸워서 이기는 군대를 만들라"는 말을 군 부대를 방문할 때마다 앵무새처럼 반복한다. 2017년 11월 당 중앙군사위 연합작전지휘센터를 시찰할 때도 "제19차 당대회 정신을 철저히 실현하고 전군이 전투태세를 갖춰야 한다. 인민해방군을 세계 일류 군대로 만들기 위해서는 반드시 싸워 이기는 능력을 확보해야 한다. 강군 건설은 중화민국의 위대한 부흥인 중국몽中國夢을 위한 전략적 기반"이라고 강조했다. 이는 미군의 북한 타격 시 일어날 수 있는 한반도 전쟁에 대비한 전투태세를 의미하기도 한다. 그래서 싸워서 이기는 군대는 미군을 넘어서는 군대를 말하고 그런 능력 위에서 중화부흥이 가능하다는 의미다. 중국군에서 시진핑의 이런 지시를 맹종하고 행동으로 옮기는 강경파 중의 강경파가 리쭤청李作成, 1953~ 당 중앙군사위 연합참모부 참모장합참의장 격이다. 그는 한반도 유사시 참전을 주장할 가능성이 가장 큰 인물이다. 평생 군인의 길을 걸어온 그의 이력에서 그 호전성을 읽을 수 있다.

중국 인민해방군 통수권을 쥐고 있는 당 중앙군사위에서 그에게 부여한 칭호는 '전투영웅'이고 군에서의 별명은 '싸움의 달인'이다. 그냥 붙은 게 아니다. 중국과 베트남 사이에 벌어진 전쟁에서 죽음을 불사하고 싸워 혁혁한 전공을 세운 대가다. 그는 돌격형 장수다. 앞으로 한반도 위기는 물론 국제 사회의 다양한 분쟁에서 중국군이 전면에 나선다면 분명 배후에 그가 있을 것이다. 2017년 8월 그가 참모장에 올랐을 때 중국 언론은 '야전의 늑대가 왔다'고 했다. 사병으로 시작해 연합 참모부 참모장에 오르기까지 산전수전 다 겪은 그의 인생역정을 보고 한 말이다. 중국과 베트남 간 전쟁이 벌어진 1979년 2월 그는 당시 광시성 변방에 있는 한 보병사단의 중대장이었다. 최일선에서 싸우다 온몸에 부상을 입었지만 전장을 떠나지 않고 중대를 지휘해 26일 동안 밤낮없이 베트남군^{당시 월맹군}을 공격했다. 그는 양팔에 붕대를 둘둘 감은 채 중대원들에게 "돌격 앞으로"를 외쳤다. 그리고 이 전투에서 그가 지휘한 중대는 294명의 베트남군을 사살하고 4명을 생포한다. 당시 전쟁이 결코 중국의 일방적인 승리로 끝나지는 않았지만 리쭤청의 전투만은 중국이 가장 자랑하고 자부하는 전공^{戰功}으로 기리고 있다. 전쟁이 끝난 후 군 수뇌부는 그의 중대 지휘력과 용맹에 감탄한다. 그도 그럴 것이 당시 중국군은 1949년 공산 정권 수립 후 전투다운 전투 한 번 해본 적이 없는 '종이호랑이' 군대라고 놀림받았는데 그런 편견을 확 깨버린 일등공신이 바로 리쭤청이었기 때문이다. 그의 중대에 '돌격영웅 중대', 리쭤청에게 '전투영웅'이라는 칭호가 내려진 것도 그때다.

" 육군은 관성적 사고를 버려야 한다.
디지털화, 입체화, 특종병과화,
무인화를 통해 구역에서
전역을 방어하는 강군으로
다시 태어나야 한다. "

중국의 '전투영웅' 리쭤청

1982년 열린 중국공산당 제12차 당대회에서 그는 인민해방군의 '영웅'으로 소개된다. 당시 그의 나이는 불과 29세였다.

1,550번 검증으로 선출된 지휘관

전투에서만 그의 돌격 정신이 빛을 발한 건 아니다. 청두 군구 부사령관으로 근무하던 2008년 8월 쓰촨성 대지진이 발생했다. 재난 현장에 출동한 다른 부대들이 인접 부대 간에 통신이 안 된다며 불평을 늘어놓을 때 그는 부대원을 이끌고 단 한 명의 생존자라도 더 구출하기 위해 재난 현장으로 달려갔다. 언론은 이를 대대적으로 보도했고 그는 '참군인'으로 다시 회자된다. 시진핑이 그런 그를 놓칠 리 없었다. 2012년 11월 당 총서기에 오르면서 전권을 장악한 시진핑은 2013년 7월 그를 청두 군구 사령관으로 승진시킨다. 싸워서 이기는 군대를 만들겠다는 시진핑과 목숨 걸고 싸워서 이기는 부대를 만들고 있는 장수가 만나는 순간이었다. 그리고 다시 2년 후인 2015년 7월 그는 상장대장으로 승진하고 12월에는 육군 사령관육군참모총장 격 자리에 오른다. 육군 사령관에 오른 그는 "육군은 관성적 사고를 버려야 한다. 동시에 육지전은 시대에 뒤떨어졌고 쓸모없다는 인식도 버려라. 육군은 지금부터 디지털화, 입체화, 특종병과화, 무인화를 통해 구역에서 전역을 방어하는 강군으로 다시 태어나야 한다"라고 말하면서 세계 최대 규모인 85만의 병력의 중국 육군의 개혁과 변신을 강하게 주문한다. 현재 중국 인민해방군에 불고 있는 디지털화, 정보화, 연합전투력 강화 개혁은 모두 그에게서 시작됐다고 해도 과언이 아니다.

그는 후난湖南성 안화安化 사람이다. 광시 사범대학에서 마르크

시진핑에게 군기를 전달받는 리쭤청.
중국군에서 시진핑의 "싸워서 이기는 군대를 만들라"는 말을 맹종하고
행동으로 옮기는 강경파가 리쭤청이다.
그가 부하들에게 전투력을 이야기할 때 빠뜨리지 않는 단어는
'츠다오젠훙'(刺刀見紅)이다. 즉 목숨 걸고
싸워야 한다는 얘기다.

스-레닌주의 이론과 사상, 정치교육학을 공부했으며 같은 학과에서 석사과정까지 마쳤다. 그는 교수가 되고 싶었다. 그러나 문혁의 광풍이 불어닥치자 우선 살아야 했다. 그는 살아남으려면 광풍의 중심으로 들어가야 한다는 생각에 1970년 2월, 17세의 나이로 입대한다. 그는 철저한 공산주의 사상가로 중국군 장성 가운데 공산당에 대한 충성도가 가장 강하다는 말을 듣는다. 당 중심 통치를 강화하고 있는 시진핑이 그를 총애하는 또 다른 이유일 것이다.

강경파이긴 하지만 그의 순박한 인간성도 화제다. 그가 조그만 부대의 부대장으로 복무할 때 고향의 한 노인이 그를 찾아 하룻밤 묵기를 청했던 모양이다. 그는 기꺼이 관사를 노인에게 내주고 자신은 나무 문짝을 바닥에 깔고 침대 삼아 잠을 잤다. 지금도 그의 고향에선 그를 참모장이라는 높은 지휘관보다 노인을 공경할 줄 알고 거만하지 않으며 형식에 구애받지 않는 소탈한 인간으로 기억하고 칭송한다고 한다. 물론 그의 혈관에는 '야전군 늑대'의 피가 흐른다. 그가 부하들에게 전투력 얘기를 하면서 빠트리지 않는 단어가 하나 있는데, '츠다오젠홍'刺刀見紅이다. '총검에 피를 묻히다', 즉 '목숨 걸고 싸운다'는 얘기다. 그래서 그에게서는 피 냄새가 난다고들 한다.

중국에서는 참군인이자 전투영웅이겠지만 주변국에는 '섬뜩함' 그 자체다. 시진핑은 2012년 말 당 중앙군사위 국가주석에 취임한 후 5년 동안 리쭤청 같은 전투적이며 실전적인 군인을 찾기 위해 860차례의 좌담회, 690차례 현장조사를 했다. 이뿐만이 아니다. 퇴직한 군 원로 900여 명에게 의견을 들었고, 군 장교 2,000명을 상대로 설문조사까지 벌였다. 시진핑은 직접 좌담회를 주재하기도 했고 부대별로 관련 좌담회를 하도록 지시하기도 했다. 현재 중국군을 책임지는 지휘관들을 찾기 위해 1,550번 정도 검증했다는 얘기다. 강군을 만들기 위한 시진핑의 집요함이 어느 정도인지 짐작할 수 있는 대목이다.

리쬐청 약력

• 1953년생, 고향은 후난성 안화현, 광시 사범대학 졸업, 대학원 수학
• 1970~1979년: 군입대, 중대장, 베트남 전쟁 참전
• 1980~2002년: 대대장, 사단 참모장, 육군 41 집단군 부 군장, 군장(軍長)
• 2002~2008년: 광저우 군구 부 참모장
• 2008~2017년: 청두 군구 부 사령관, 사령관, 육군 사령관
• 2017~ : 당 중앙군사위 연합참모부 참모장, 당 중앙군사위 위원, 당
　　　　　중앙위원회 위원

중국의 파워엘리트

그들은 어떻게 단련되고 무엇을 생각하는가

지은이 최형규
펴낸이 김언호

펴낸곳 (주)도서출판 한길사
등록 1976년 12월 24일 제74호
주소 10881 경기도 파주시 광인사길 37
홈페이지 www.hangilsa.co.kr
전자우편 hangilsa@hangilsa.co.kr
전화 031-955-2000~3 팩스 031-955-2005

부사장 박관순 총괄이사 김서영 관리이사 곽명호
영업이사 이경호 경영이사 김관영
편집 김대일 김광연 백은숙 노유연 김지연 김지수
마케팅 김단비 관리 이중환 김선희 문주상 이희문 원선아
디자인 창포 031-955-9933
CTP 출력 및 인쇄 예림 제본 예림

제1판 제1쇄 2018년 9월 14일

값 20,000원
ISBN 978-89-356-6804-5 03300

• 이 도서의 국립중앙도서관 출판시도서목록(CIP)은 서지정보유통지원시스템 홈페이지(seoji.nl.go.kr)와
  국가자료공동목록시스템(www.nl.go.kr/kolisnet)에서 이용하실 수 있습니다.
  (CIP제어번호: CIP2018029249)